# 과제

☑ **말씀암송**

마가복음 11:25

서서 기도할 때에 아무에게나 혐의가 있거든 용서하라

그리하여야 하늘에 계신 너희 아버지께서도

너희 허물을 사하여 주시리라 하시니라

☑ **하루 30분씩 매일 기도해 주세요.**

☑ **3명 이상에게 중보기도 제목을 받고, 기도해 주세요.**

☑ **기도문을 적어 제출해 주세요.**

[개인, 가정, 교회, 나라를 위한 기도]

☑ **메모**

# 기도 양육
# 201

세움북스는 기독교 가치관으로 교회와 성도를 건강하게 세우는 바른 책을 만들어 갑니다.

기도 양육 201

잘못된 기도 VS 바른 기도

**초판 2쇄 발행** 2025년 10월 25일

**지은이** | 김영한
**펴낸이** | 강인구
**펴낸곳** | 세움북스

**등 록** | 제2014-000144호
**주 소** | 서울시 종로구 대학로19 한국기독교회관 1010호
**전 화** | 02-3144-3500
**팩 스** | 02-6008-5712
**이메일** | cdgn@daum.net

**교 정** | 이윤경
**디자인** | 참디자인

**ISBN** 979-11-87025-96-2 (03230)
**SET** 979-11-87025-99-3 (03230)

# 기도 양육 201

## 잘못된 기도 VS 바른 기도

**김영한** 지음

세움북스

나는 오늘 해야 할 일이 많기 때문에
기도하는 시간을 갖기 위해서 한 시간 더 일찍 일어난다.

– 마틴 루터(Martin Luther) –

기도하는 한 사람이 기도하지 않는 모든 민족보다 강하다.
무릎 위에 놓인 나라는 무기 아래 놓인 나라보다 더 강하다.

– 존 녹스(John Knox) –

옷을 만드는 것은 재단사의 일이고 구두를 수선하는 것은 구두장이의 일이고
기도하는 것은 그리스도인의 일이다. 기도의 실패자는 생활의 실패자이다.

– E. M. 바운즈(E. M. Bounds) –

기도는 하나님의 심정에 이르게 하는 것이다.

– 제레미 테일러(Jeremy Taylor) –

아버지와 같이 있기를 바라는 것 이외의 것을 바라지 않는 것이
기도의 가장 기본적인 의식이다.

– 레이 랙스데일(Ray W. Ragsdale) –

기도란 그리스도의 능력을 붙잡는 손이다.
늙어 갈수록 기도를 더 많이 하라. 그래야 신령한 일에 냉랭해지지 않는다.

– 고아들의 아버지, 조지 뮬러(George Muller) –

기도는 우리가 믿음으로 발견한 주님의 복음에 들어있는 보물을 파내는 것이다.

– 존 칼빈(John Calvin) –

## 기도 양육 201
## 잘못된 기도 VS 바른 기도를 출간하며

기도는 모든 크리스천에게 중요하다. 왜냐하면 기도는 영혼의 호흡으로 늘 해야 하는 것이기 때문이다. 호흡을 제대로 하지 않으면 몸이 건강할 수 없다. 이처럼 기도를 제대로 하지 못하면 믿음생활이 건강할 수 없다.

신앙의 문제 중 하나는 바로 이 호흡과 같은 기도가 잘못된 것으로부터 비롯될 수 있다. 때로 믿는 자들 중 무속적으로 돌무더기 앞에서 허리를 굽히고 손을 비비며 기도하듯, 무엇인가를 달라고만 간구한다. 이런 기도를 통하여 무엇을 얻어내려고 하는 성도는 하나님과 인격적인 관계를 맺을 수 없다. 이러한 기복신앙 이외에도 죽은 믿음의 기도도 문제이다.

이러한 이유에서 한국의 크리스천들이 기도를 많이 하지만 세상을 변화시키거나 이기지 못하고 있다. 잘못된 기도를 하다 보니 영적으로 어린아이의 수준에서 머물러 있는 경우도 상당하다.

> 이는 젖을 먹는 자마다 어린아이니 의의 말씀을 경험하지 못한 자요 단단한 음식은 장성한 자의 것이니 그들은 지각을 사용함으로 연단을 받아 선악을 분별하는 자들이니라_**히 5:13-14**

**제대로 된 기도의 훈련을 하고, 또 훈련을 받아야 한다.**

2021년 4월

**김 영 한**(Next 세대 Ministry 대표 / 품는교회 담임)

# 목차

Contents

# Wrong prayer

chapter 1

첫번째 잘못된 기도

Q 지금 생각하면 "아, 이건 잘못된 기도인데"라는
생각이 드는 기도를 한 경험이 있는가?

## 1. 기도에 대한 오해는 어떤 것이 있는가

- ________ 사고(하나님은 먼 우주에 계시고 우리 삶에 역사하시지 않는다)로 기도한다.
- ________ 삶을 사는 것처럼 생각하고 기도하지 않는다.
- 기도를 어떤 일을 이루기 위한 도구로 오해한다.
- 기도를 길게 해야만 한다고 생각한다.
- 충분히 기도해야 함을 간과하고, 기도의 시간을 할애하지 않는다.
- 구하면 ________ 주신다고 생각한다.
- 응답 되지 않은 기도도 하나님의 응답임을 생각지 못한다.

## 2. 기도 시 잘못된 동기는 무엇인가

1 온 땅의 언어가 하나요 말이 하나였더라 2 이에 그들이 동방으로 옮기다가 시
날 평지를 만나 거기 거류하며 3 서로 말하되 자, 벽돌을 만들어 견고히 굽자 하
고 이에 벽돌로 돌을 대신하며 역청으로 진흙을 대신하고 4 또 말하되 자, 성읍
과 탑을 건설하여 그 탑 꼭대기를 하늘에 닿게 하여 우리 이름을 내고 온 지면
에 흩어짐을 면하자 하였더니 5 여호와께서 사람들이 건설하는 그 성읍과 탑을
보려고 내려오셨더라_**창 11:1-5**

35 세베대의 아들 야고보와 요한이 주께 나아와 여짜오되 선생님이여 무엇이든
지 우리가 구하는 바를 우리에게 하여 주시기를 원하옵나이다 36 이르시되 너
희에게 무엇을 하여 주기를 원하느냐 37 여짜오되 주의 영광 중에서 우리를 하
나는 주의 우편에, 하나는 좌편에 앉게 하여 주옵소서_막 10:35-37

7 여러 계시를 받은 것이 지극히 크므로 너무 자만하지 않게 하시려고 내 육체
에 가시 곧 사탄의 사자를 주셨으니 이는 나를 쳐서 너무 자만하지 않게 하려
하심이라 8 이것이 내게서 떠나가게 하기 위하여 내가 세 번 주께 간구하였더
니 9 나에게 이르시기를 내 은혜가 네게 족하도다 이는 내 능력이 약한 데서 온
전하여짐이라 하신지라 그러므로 도리어 크게 기뻐함으로 나의 여러 약한 것
들에 대하여 자랑하리니 이는 그리스도의 능력이 내게 머물게 하려 함이라 10
그러므로 내가 그리스도를 위하여 약한 것들과 능욕과 궁핍과 박해와 곤고를
기뻐하노니 이는 내가 약한 그때에 강함이라_고후 12:7-10

그런데 뱀은 여호와 하나님이 지으신 들짐승 중에 가장 간교하니라 뱀이 여자에게 물어 이르되 하나님이 참으로 너희에게 동산 모든 나무의 열매를 먹지 말라 하시더냐_창 3:1

## 3. 기도 시 주의해야 할 것은 무엇인가

5 또 너희는 기도할 때에 외식하는 자와 같이 하지 말라 그들은 사람에게 보이
려고 회당과 큰 거리 어귀에 서서 기도하기를 좋아하느니라 내가 진실로 너희
에게 이르노니 그들은 자기 상을 이미 받았느니라 6 너는 기도할 때에 네 골방
에 들어가 문을 닫고 은밀한 중에 계신 네 아버지께 기도하라 은밀한 중에 보
시는 네 아버지께서 갚으시리라 7 또 기도할 때에 이방인과 같이 중언부언하지
말라 그들은 말을 많이 하여야 들으실 줄 생각하느니라_**마 6:5-7**

**1) 바르지 않은 기도는 유독 ______ 에게 보이려고 기도한다.**

**2) 보이는 곳, 회당과 큰 거리 어귀에서 기도하려고 한다.**

**3) ______ 하며 말을 많이 한다.**

### Q 그렇다면 예수님이 원하시는 기도는 무엇인가?

- 은밀한 중에 보시는 하나님께 기도한다.
- 보이지 않는 골방에서 기도해야 한다.
- 중언부언이 아니라 믿음, ______ 를 가지고 기도해야 한다.

### Q 중언부언하는 기도는 무엇인가?

- 의미 없는 말만 많이 하다가 끝내는 기도를 말한다.
- ______ 으로 하나님과 교제를 하지 않는 기도이다.
- 신뢰 없이 그냥 죽은 신에게 던지듯 ______ 하여 말하는 것이다.

그러므로 그들을 본받지 말라 구하기 전에 너희에게 있어야 할 것을 하나님 너희 아버지께서 아시느니라_**마 6:8**

## 4. 기도 시 조심해야 할 사항은 무엇인가

### 1) 자기의 ________ 을 구하는 기도

누구든지 자기의 유익을 구하지 말고 남의 유익을 구하라_고전 10:24

### 2) 자기의 ________ 과 사람의 ________ 을 구하는 기도

스스로 말하는 자는 자기 영광만 구하되 보내신 이의 영광을 구하는 자는 참되니 그 속에 불의가 없느니라_요 7:18

그러므로 구제할 때에 외식하는 자가 사람에게서 영광을 받으려고 회당과 거리에서 하는 것 같이 너희 앞에 나팔을 불지 말라 진실로 너희에게 이르노니 그들은 자기 상을 이미 받았느니라_마 6:2

### 3) 외식적인 기도

5 또 너희는 기도할 때에 외식하는 자와 같이 하지 말라 그들은 사람에게 보이
려고 회당과 큰 거리 어귀에 서서 기도하기를 좋아하느니라 내가 진실로 너희
에게 이르노니 그들은 자기 상을 이미 받았느니라 6 너는 기도할 때에 네 골방
에 들어가 문을 닫고 은밀한 중에 계신 네 아버지께 기도하라 은밀한 중에 보
시는 네 아버지께서 갚으시리라 7 또 기도할 때에 이방인과 같이 중언부언하지
말라 그들은 말을 많이 하여야 들으실 줄 생각하느니라_마 6:5-7

## 5. 기도를 하기는 하지만, 주님이 보실 때 잘못된 기도는 어떤 기도인가?

### 1) 인격적 교제가 아니라 단지 ________ 의무감에서 하는 경우

**2) ________ 이고, 기계적으로 하는 경우**

**3) 기도하는 시간에만 신경 쓰고 기도의 중요성과 기도 내용을 간과하는 경우**

**4) 바쁜 일이 있으면 소홀히 하는 경우**

**5) ________ 나는 대로 기도하다가 허겁지겁 자리를 뜨는 경우**

**6) 답답하고 문제가 생길 때만 하는 경우**

**7) 기도 자체가 시간 낭비라고 생각하는 경우**

호흡하는 시간이 아까운 사람이 있는가?

---

**8) 기도해도 아무런 역사가 없다고 생각하는 경우**

28 집에 들어가시매 제자들이 조용히 묻자오되 우리는 어찌하여 능히 그 귀신
을 쫓아내지 못하였나이까 29 이르시되 기도 외에 다른 것으로는 이런 종류가
나갈 수 없느니라 하시니라_**막 9:28-29**

---

---

---

24 그가 이러한 명령을 받아 그들을 깊은 옥에 가두고 그 발을 차꼬에 든든히 채
웠더니 25 한밤중에 바울과 실라가 기도하고 하나님을 찬송하매 죄수들이 듣더
라 26 이에 갑자기 큰 지진이 나서 옥터가 움직이고 문이 곧 다 열리며 모든 사
람의 매인 것이 다 벗어진지라_**행 16:24-26**

---

---

9) 기도를 하나님과의 협상테이블로 착각하는 경우

10) 기도를 물질의 축복, 건강, 행복을 가져오게 하는 도구로 여기는 경우

## 6. 바른 기도를 하지 못하는 이유는 무엇인가

1) ______ 무지와 게으름

2) 욕심이 가득해서

3) 기도 응답을 제대로 경험하지 못해서

4) 편협하고 자기만 아는 ______ 신앙

5) 다른 ______ 에 바빠서

## 술 만드는 수도승

밤에 뜨는 별 메시지
설교제목 '이름 짓기'로 메시지를 나눌 때 한 예화이다.

.........

중세시대 수도사들이 있었다. 그런 수도사들 중 특이하게 술 만드는 수도승 이야기를 책에서 읽었다. 그 수도승은 기도하지 않고 예배하지 못하게 되었다. 재정적인 어려움이 있어 술(포도주)을 만드느라 정신이 없었다.

좋은 포도주를 만들수록 돈을 많이 벌어 수도원이 커졌다. 그러자 수도원 사람들은 수도승이 기도하고 영적인 케어를 하는 것보다 좋은 술을 더 만들기를 원하였다. 수도승은 술이 잘 만들어졌는지 날마다 시음을 하다 보니 늘 술에 취해 있었다.

우리는 세상에서 수도승처럼 살 수가 있다. 처음엔 이게 아닌데 이러면 안 되는데 하지만 시간이 지나면서 하나님이 나에게 주신 방향과 뜻을 향해 가지 않는다. 아니, 가지 못한다.

사람들이 우리에게 원하는 일을 하나 둘씩 하면서 언제부턴가 세상에 취해 산다. 세상적인, 인간적인 요구를 따라 가다 보니 어느새 나도 모르게 술 취한 수도승처럼 서 있다. 의식을 갖고 벗어나려고 하지만 오히려 사람들이 내가 원하지 않는 그 일, 혹 그 장소에 있는 게 고맙겠다며 설득하기도 한다.

결국, 우리를 벗어나지 못하게 한다. 기도를 한다는 것은 하나님이 나에게 요구하시는 것이 무엇인지 다시 돌아보는 것이다. 내가 어디에 취해 있는지, 올바르게 깨어서 살아가고 있는지 점검하는 것이다. 하나님의 관점에서 상황을 판단하고, 움직이는 것이다. 기도를 하지 않으면 시대의 흐름에 맞춰서 어떻게 갈까만 생각하게 되고, 어느덧 세상에 취해 소명과 사명을 잃고 살아가게 된다.

6) ____ 에게 져서

그러므로 형제들아 우리가 빚진 자로되 육신에게 져서 육신대로 살 것이 아니니라_롬 8:12

## 7. 성도에게 기도가 힘든 이유는 무엇인가

1) ____ 기도를 잘하려고 하기 때문이다

2) 특정한 장소를 찾아서만 하려고 하기 때문이다

3) 특별한 ____ 이 있을 때 하려고 하기 때문이다

## 8. 문제가 생기면 최후수단, 비상대책수단으로 하는 기도는 무엇이 문제인가

## 9. 의무감으로 하는 기도도 문제지만 전혀 기도의 의무감 없이 신앙 생활하는 것은 무엇이 문제인가

예수께서 돌이켜 그들을 향하여 이르시되 예루살렘의 딸들아 나를 위하여 울지 말고 너희와 너희 자녀를 위하여 울라_**눅 23:28**

Q 모두에게 기도가 필요하지만 성직자,
직분자에게 왜 더 중요한가?

나는 너희를 위하여 기도하기를 쉬는 죄를 여호와 앞에 결단코 범하지 아니하고 선하고 의로운 길을 너희에게 가르칠 것인즉_삼상 12:23

## 10. 기도를 받으시지 않게 하는 기도자의 문제는 무엇인가

1 여호와의 손이 짧아 구원하지 못하심도 아니요 귀가 둔하여 듣지 못하심도
아니라 2 오직 너희 죄악이 너희와 너희 하나님 사이를 갈라 놓았고 너희 죄가
그의 얼굴을 가리어서 너희에게서 듣지 않으시게 함이니라_사 59:1-2

## 11. 기도를 혼자서만 하려고 하는 것은 어떤 문제를 생기게 하는가

두세 사람이 내 이름으로 모인 곳에는 나도 그들 중에 있느니라_**마 18:20**

Q 같이 기도하면 어떤 좋은 점이 있는가?

- 서로 신앙을 나눌 때 잘못된 신앙적 ____________ 으로 빠지지 않는다.
- 이기적으로 ____________ 만을 위해서 기도하지 않게 된다.
- 다른 사람의 기도 제목도 듣게 되어 더 간절히 기도해 주고, 신경써 줄 수 있다.

## 12. 기도의 개념, 동기, 목적을 잘 모르고 무조건 기도하는 것은 왜 잘못되었는가

Q 기도를 할 때 잘못된 동기 혹 목적을 가지고 기도했던 경험이 있는가?

# 과제

☑ **말씀암송**

마태복음 6:6

너는 기도할 때에 네 골방에 들어가 문을 닫고

은밀한 중에 계신 네 아버지께 기도하라

은밀한 중에 보시는 네 아버지께서 갚으시리라

☑ **하루 30분씩 매일 기도해 주세요.**

☑ **3명 이상에게 중보기도 제목을 받고, 기도해 주세요.**

☑ **기도문을 적어 제출해 주세요.**

[개인, 가정, 교회, 나라를 위한 기도]

☑ **메모**

# Wrong prayer

chapter 2

두번째 잘못된 기도

## 1. 기도의 응답을 잘 못받는 이유는 무엇인가

1) 일방적

2) 신뢰의 부재

3) 기도의 응답을 받아들이지 않는 것

Q 기도의 응답은 몇 가지가 있을까?

- 응답 되는 경우가 있다.
- 더 기다려야 하는 때가 있다.
- 무응답이 응답인 경우가 있다.

4) '하나님의 음성을 직접 들었다'고 하는 것

5) ______ 를 받으려고 따라다니고 지나치게 의존하는 것

## 2. 기도할 때 이방인과 달리 어떻게 기도해야 하는가

구하기 전에 너희에게 있어야 할 것을 하나님 너희 아버지께서 아시느니라_**마 6:8**

### Q 기도는 하나님과의 관계에서 어떤 것인가?

- 기도는 사랑하는 아버지를 만나는 것이다.
- 아버지와 ______ 를 맺는 것이다.
- 깊은 교제를 하는 것이다.
- 아버지와 함께 시간을 보내는 것이다.
- 아버지에게 감사하고 ______ 을 고백하는 것이다.

**Q** '이름이 거룩히 여김을 받으시오며 나라가 임하시오며, 뜻이 하늘에서 이루어진 것 같이 땅에서도 이루어지이다'라고 기도를 드리는 자의 삶은 어떠해야 하는가?

- 하나님의 ______ 을 아는 것이다.
- 아버지가 원하시는 것을 아는 것이다.
- 그리고 그것을 위해서 내 마음을 드리는 것이다.
- 내 ______ 을 드리는 것이다.
- 내 뜻을 드리는 것이다.
- 내 열정을 드려야 한다.

## 3. 응답받지 못하는 기도는 어떻게 기도할 때 그런가

### 1) 이기적이거나 ______ 에 쓰려는 기도인 경우

1 너희 중에 싸움이 어디로부터 다툼이 어디로부터 나느냐 너희 지체 중에서
싸우는 정욕으로부터 나는 것이 아니냐 2 너희는 욕심을 내어도 얻지 못하여

살인하며 시기하여도 능히 취하지 못하므로 다투고 싸우는도다 너희가 얻지
못함은 구하지 아니하기 때문이요 3 구하여도 받지 못함은 정욕으로 쓰려고 잘
못 구하기 때문이라_약 4:1-3

2) 인간 중심적 기도인 경우

3) ______ 식의 기도인 경우

## 4. 방언 기도에 대한 오해는 무엇인가

- 성령을 의지하면 ______ 할 수 있다고 한다.
- 방언을 해야 구원의 확신과 확증을 논한다.
- 방언 기도 내용을 역으로 ______ 하면서 하나님의 뜻을 알 수 있다고 한다.
- 방언을 받아야 영으로 기도하는 것이라고 한다.
- 방언 기도를 할 때 영적으로 충만하고, 친밀한 기도를 할 수 있다고 한다.
- 방언 기도는 영적인 ______ 가 있는 자가 할 수 있다고 한다.

---

10 그들이 산에 이를 때에 선지자의 무리가 그를 영접하고 하나님의 영이 사울
에게 크게 임하므로 그가 그들 중에서 예언을 하니 11 전에 사울을 알던 모든 사
람들이 사울이 선지자들과 함께 예언함을 보고 서로 이르되 기스의 아들에게
무슨 일이 일어났느냐 사울도 선지자들 중에 있느냐 하고_삼상 10:10-11

**1) 바울은 방언 기도를 누구를 위한 것이라고 하는가?**

그러므로 방언은 믿는 자들을 위하지 아니하고 믿지 아니하는 자들을 위하는 표적이나 예언은 믿지 아니하는 자들을 위하지 않고 믿는 자들을 위함이니라_ **고전 14:22**

**2) 방언은 누구에게 하는 것인가?**

방언을 말하는 자는 사람에게 하지 아니하고 하나님께 하나니 이는 알아 듣는 자가 없고 영으로 비밀을 말함이라_ **고전 14:2**

**3) 방언을 말하는 자는 누구의 덕을 세우게 되는가?**

방언을 말하는 자는 자기의 덕을 세우고 예언하는 자는 교회의 덕을 세우나니_ **고전 14:4**

**4) 바울은 왜 방언보다 특별히 예언하기를 소원하였는가?**

나는 너희가 다 방언 말하기를 원하나 특별히 예언하기를 원하노라 만일 방언

을 말하는 자가 통역하여 교회의 덕을 세우지 아니하면 예언하는 자만 못하니라_**고전 14:5**

예언을 하면 교회의 덕을 더 세우게 되기 때문이다.

## 5. 잘못된 기도는 신앙생활에 어떤 영향을 주는가

- 삶에 활력소와 역동성이 부재하다.
- 신앙과 삶이 ________ 되어진다.
- 말씀을 살아낼 힘이 없다.
- 세상을 이겨낼 수 없다.
- 원수를 사랑할 수 없다.
- 하나님의 ________ 을 모르게 한다.
- 비전을 성취할 수 없다.
- 궁극적 사명의 방향으로 나아갈 수 없다.
- 쓸데없이 ________ 을 만난다.
- 존재적 삶이 아니라 일만 하며 바쁘게 만든다.

내가 세상에 속하지 아니함 같이 그들도 세상에 속하지 아니하였사옵나이다_
**요 17:16**

## 6. 마음이 평안하지 않은 채 기도만 열심히 드리고 간청하면 되는가

## 7. 예언 기도를 받을 때나, 할 때 주의할 점은 무엇인가

Q 은사를 달라고 지나치게 간구하는 것의 문제는 무엇인가?

18 시몬이 사도들의 안수로 성령 받는 것을 보고 돈을 드려 19 이르되 이 권능을
내게도 주어 누구든지 내가 안수하는 사람은 성령을 받게 하여 주소서 하니 20
베드로가 이르되 네가 하나님의 선물을 돈 주고 살 줄로 생각하였으니 네 은과
네가 함께 망할지어다 21 하나님 앞에서 네 마음이 바르지 못하니 이 도에는 네
가 관계도 없고 분깃 될 것도 없느니라_행 8:18-21

Q 거짓된 선지자를 조심하라고 하였다.
어떻게 그런 악한 선지자와 선견자를 구별할 수 있는가?

15 거짓 선지자들을 삼가라 양의 옷을 입고 너희에게 나아오나 속에는 노략질
하는 이리라 16 그들의 열매로 그들을 알지니 가시나무에서 포도를, 또는 엉겅
퀴에서 무화과를 따겠느냐 17 이와 같이 좋은 나무마다 아름다운 열매를 맺고
못된 나무가 나쁜 열매를 맺나니 18 좋은 나무가 나쁜 열매를 맺을 수 없고 못된
나무가 아름다운 열매를 맺을 수 없느니라 19 아름다운 열매를 맺지 아니하는
나무마다 찍혀 불에 던져지느니라 20 이러므로 그들의 열매로 그들을 알리라_
마 7:15-20

## 8. 기도를 능력 행함으로 생각하는 것은 무엇이 잘못되었는가

## 9. 나 자신만의 유익과 편의를 위해 역사해 달라고 하는 기도는 어떤 위험성이 있는가

이같이 한즉 하늘에 계신 너희 아버지의 아들이 되리니 이는 하나님이 그 해를

악인과 선인에게 비추시며 비를 의로운 자와 불의한 자에게 내려주심이라_**마 5:45**

## 10. 기도가 너무 형식적이고, 틀에 박힌 말에 국한되어서는 안 되는 이유는 무엇인가

13 그때에 사람들이 예수께서 안수하고 기도해 주심을 바라고 어린아이들을 데
리고 오매 제자들이 꾸짖거늘 14 예수께서 이르시되 어린아이들을 용납하고 내
게 오는 것을 금하지 말라 천국이 이런 사람의 것이니라 하시고 15 그들에게 안
수하시고 거기를 떠나시니라_마 19:13-15

**11. 기도는 편한 자세로 할 수 있고, 편한 마음으로 기도해야 한다. 어떤 국한된 자세, 그리고 하나님을 어떤 하나님으로 오해하며 신앙생활하고, 기도했었는가**

너희는 다시 무서워하는 종의 영을 받지 아니하고 양자의 영을 받았으므로 우리가 아빠 아버지라고 부르짖느니라_롬 8:15

## 12. 사탄은 우리가 하나님께 기도하지 못하도록 끊임없이 정죄한다. 그럴 때 우리가 잊지 말아야 할 것은 무엇인가

누가 정죄하리요 죽으실 뿐 아니라 다시 살아나신 이는 그리스도 예수시니 그는 하나님 우편에 계신 자요 우리를 위하여 간구하시는 자시니라_롬 8:34

그러므로 이제 그리스도 예수 안에 있는 자에게는 결코 정죄함이 없나니_롬 8:1

네게 있는 믿음을 하나님 앞에서 스스로 가지고 있으라 자기가 옳다 하는 바로 자기를 정죄하지 아니하는 자는 복이 있도다_롬 14:22

Q 너무 심한 정죄감으로 힘들거나,
주님 앞에 나아가지 못한 경험이 있었는가?

# 과제

☑ **말씀암송**

마태복음 6:8

그러므로 그들을 본받지 말라

구하기 전에 너희에게 있어야 할 것을

하나님 너희 아버지께서 아시느니라

☑ **하루 30분씩 매일 기도해 주세요.**

☑ **3명 이상에게 중보기도 제목을 받고, 기도해 주세요.**

☑ **기도문을 적어 제출해 주세요.**

[개인, 가정, 교회, 나라를 위한 기도]

☑ **메모**

# Wrong prayer

chapter 3

## 세번째 잘못된 기도

## 1. 내가 예전에 했던 기도 중 잘 몰라서 실수하거나 혹 기도를 너무 어려워했던 경험이 있는가

## 2. 기도할 때 하나님의 이름을 경솔하게 부르며 기도하는 것은 무엇이 문제인가

너는 네 하나님 여호와의 이름을 망령되게 부르지 말라 여호와는 그의 이름을 망령되게 부르는 자를 죄 없다 하지 아니하리라_**출 20:7**

---

그렇다면, 기도할 때 하나님의 이름을 어떻게 불러야 할까?

그러므로 너희는 이렇게 기도하라 하늘에 계신 우리 아버지여 이름이 거룩히 여김을 받으시오며_**마 6:9**

---

## 3. 자신의 뜻을 구하는 것은 바른 것인가 자신의 나라를 구하는 것은 무엇이 문제인가

**9** 그러므로 너희는 이렇게 기도하라 하늘에 계신 우리 아버지여 이름이 거룩히
여김을 받으시오며 **10** 나라가 임하시오며 뜻이 하늘에서 이루어진 것 같이 땅
에서도 이루어지이다_**마 6:9-10**

---

---

## 4. 예수님은 마태복음 21장 22절에서 "기도할 때에 무엇이든지 믿고 구하는 것은 다 받으리라"라고 하셨다. 그런데 아무리 바르게 열심히 기도해도 받지 않으시는 이유는 무엇인가

바리새인은 서서 따로 기도하여 이르되 하나님이여 나는 다른 사람들 곧 토색, 불의, 간음을 하는 자들과 같지 아니하고 이 세리와도 같지 아니함을 감사하나이다_**눅 18:11**

---

---

## 5. 하나님이 듣지 않으시는 기도는 어떤 기도인가

내가 나의 마음에 죄악을 품었더라면 주께서 듣지 아니하시리라_**시 66:18**

---

내가 불러도 그들이 듣지 아니한 것처럼 그들이 불러도 내가 듣지 아니하리라 만군의 여호와가 말하였느니라_**슥 7:13**

---

**11** 여호와께서 말씀하시되 너희의 무수한 제물이 내게 무엇이 유익하뇨 나는
숫양의 번제와 살진 짐승의 기름에 배불렀고 나는 수송아지나 어린양이나 숫
염소의 피를 기뻐하지 아니하노라 **12** 너희가 내 앞에 보이러 오니 이것을 누가
너희에게 요구하였느냐 내 마당만 밟을 뿐이니라 **13** 헛된 제물을 다시 가져오
지 말라 분향은 내가 가증히 여기는 바요 월삭과 안식일과 대회로 모이는 것도
그러하니 성회와 아울러 악을 행하는 것을 내가 견디지 못하겠노라 **14** 내 마음
이 너희의 월삭과 정한 절기를 싫어하나니 그것이 내게 무거운 짐이라 내가 지
기에 곤비하였느니라_**사 1:11-14**

너희 소돔의 관원들아 여호와의 말씀을 들을지어다 너희 고모라의 백성아 우리 하나님의 법에 귀를 기울일지어다_사 1:10

## Q 그러면 오늘날 성전 마당만 밟는 자의 삶은 어떤 것인가?

- ______ 없는 종교 의식이 성전 마당만 밟는 것이다.
- 몸은 성전에 있어도 마음이 하나님께로부터 멀리 떨어져 있는 심령이 성전 마당이다.
- 하나님을 섬기지 않고 자기를 섬기는 사람이다.
- 하나님을 기쁘시게 하지 않고 ______ 을 기쁘게 하려는 것이다.
- 악을 행하는 사람이 성전 마당만 밟는 것이다.

## 6. 조나단 에드워즈가 말하는 잘못된 신앙은 무엇인가 우리는 어떻게 기도할 때 잘못된 기도를 괜찮은 것처럼 오해하거나 착각하지 않을 수 있는가

1) 첫 번째 소극적 표지 – ______ 의 강도

2) 두 번째 소극적 표지 – ______ 의 격렬한 반응

### 3) 세 번째 소극적 표지 – 신앙과 ______ 에 대한 관심

세리는 멀리 서서 감히 눈을 들어 하늘을 쳐다보지도 못하고 다만 가슴을 치며 이르되 하나님이여 불쌍히 여기소서 나는 죄인이로소이다 하였느니라_눅 18:13

### 4) 네 번째 소극적 표지 – ______ 의 자가 생산 여부

### 5) 다섯 번째 소극적 표지 – ______ 이 갑자기 떠오름

6) 여섯 번째 소극적 표지 – 　　　 의 피상적 표현

7) 일곱 번째 소극적 표지 – 　　　 의 정도

8) 여덟 번째 소극적 표지 – 감정의 　　　 순서

9) 아홉 번째 소극적 표지 – ______ 행위와 의무의 피상적 실천

10) 열 번째 소극적 표지 – ______ 을 열심히 부름

11) 열한 번째 소극적 표지 – 자신의 ______ 의 확신

12) 열두 번째 소극적 표지 – 타인에 의한 ______ 의 확신

Q 12가지 잘못된 신앙과 기도의 표지 중 나 자신은
어떤 것에 속아 기도를 더 잘 드린다고 착각하였던 것 같은가?

## 7. 기도 응답을 막는 장애물들은 무엇인가

**1) ______ 하지 않는 것**

너희는 욕심을 내어도 얻지 못하여 살인하며 시기하여도 능히 취하지 못하므로 다투고 싸우는도다 너희가 얻지 못함은 구하지 아니하기 때문이요_**약 4:2**

**2) ______ 하지 못한 것**

그를 향하여 우리가 가진 바 담대함이 이것이니 그의 뜻대로 무엇을 구하면 들으심이라_**요일 5:14**

**3) 죄**

내가 나의 마음에 죄악을 품었더라면 주께서 듣지 아니하시리라_**시 66:18**

### 4) 하나님의 뜻 밖에서 하는 기도

너희는 욕심을 내어도 얻지 못하여 살인하며 시기하여도 능히 취하지 못하므로 다투고 싸우는도다_약 4:2상

### 5) ______ 으로 쓰려고 구하는 잘못된 동기

구하여도 받지 못함은 정욕으로 쓰려고 잘못 구하기 때문이라_약 4:3

### 6) 의심과 불신

6 오직 믿음으로 구하고 조금도 의심하지 말라 의심하는 자는 마치 바람에 밀
려 요동하는 바다 물결 같으니 7 이런 사람은 무엇이든지 주께 얻기를 생각하
지 말라 8 두 마음을 품어 모든 일에 정함이 없는 자로다_약 1:6-8

### 7) 걱정

6 아무것도 염려하지 말고 다만 모든 일에 기도와 간구로, 너희 구할 것을 감사
함으로 하나님께 아뢰라 7 그리하면 모든 지각에 뛰어난 하나님의 평강이 그리
스도 예수 안에서 너희 마음과 생각을 지키시리라_빌 4:6-7

### 8) 감사하지 않는 마음

범사에 감사하라 이것이 그리스도 예수 안에서 너희를 향하신 하나님의 뜻이니라_**살전 5:18**

### 9) 곤욕스러운 상황

그가 곤욕을 당하여 괴로울 때에도 그의 입을 열지 아니하였음이여_**사 53:7**

### 10) 집중하지 못하는 것

좌로나 우로나 치우치지 말고 네 발을 악에서 떠나게 하라_**잠 4:27**

### 11) ______ 사람들을 돌보지 않는 것

17 누가 이 세상의 재물을 가지고 형제의 궁핍함을 보고도 도와줄 마음을 닫으
면 하나님의 사랑이 어찌 그 속에 거하겠느냐 18 자녀들아 우리가 말과 혀로만
사랑하지 말고 행함과 진실함으로 하자_**요일 3:17-18**

### 12) ______ 에 대한 반항

1 그러므로 내가 첫째로 권하노니 모든 사람을 위하여 간구와 기도와 도고와
감사를 하되 2 임금들과 높은 지위에 있는 모든 사람을 위하여 하라 이는 우리
가 모든 경건과 단정함으로 고요하고 평안한 생활을 하려 함이라_**딤전 2:1-2**

### 13) 용서하지 않는 것

서서 기도할 때에 아무에게나 혐의가 있거든 용서하라 그리하여야 하늘에 계신 너희 아버지께서도 너희 허물을 사하여 주시리라 하시니라_**막 11:25**

### 14) 교만

5 젊은 자들아 이와 같이 장로들에게 순종하고 다 서로 겸손으로 허리를 동이
라 하나님은 교만한 자를 대적하시되 겸손한 자들에게는 은혜를 주시느니라 6
그러므로 하나님의 능하신 손 아래에서 겸손하라 때가 되면 너희를 높이시리
라_벧전 5:5-6

Q 기도를 막는 장애물 14가지 중
나에게 해당하는 것은 어느 것인가?

## 8. 집중하여 바른 기도를 할 때 얻는 유익은 무엇인가

1 우리가 사로잡힌 지 스물다섯째 해, 성이 함락된 후 열넷째 해 첫째 달 열째
날에 곧 그 날에 여호와의 권능이 내게 임하여 나를 데리고 이스라엘 땅으로 가
시되 2 하나님의 이상 중에 나를 데리고 이스라엘 땅에 이르러 나를 매우 높은
산 위에 내려놓으시는데 거기에서 남으로 향하여 성읍 형상 같은 것이 있더라
3 나를 데리시고 거기에 이르시니 모양이 놋 같이 빛난 사람 하나가 손에 삼줄
과 측량하는 장대를 가지고 문에 서 있더니 4 그 사람이 내게 이르되 인자야 내
가 네게 보이는 그것을 눈으로 보고 귀로 들으며 네 마음으로 생각할지어다 내
가 이것을 네게 보이려고 이리로 데리고 왔나니 너는 본 것을 다 이스라엘 족속
에게 전할지어다 하더라_겔 40:1-4

## 9. 장래 일을 알도록 기도하는 것은 바른 기도인가

이스라엘의 거룩하신 이 곧 이스라엘을 지으신 여호와께서 이같이 이르시되 너희가 장래 일을 내게 물으며 또 내 아들들과 내 손으로 한 일에 관하여 내게 명령하려느냐_사 45:11

하나님이 모든 것을 지으시되 때를 따라 아름답게 하셨고 또 사람들에게는 영원을 사모하는 마음을 주셨느니라 그러나 하나님이 하시는 일의 시종을 사람으로 측량할 수 없게 하셨도다_전 3:11

## 10. 바르게 지속적으로 기도하기 위해 무엇이 필요한가

### 1) 하나님의 말씀이 필요하다

### 2) 기도를 돕는 아론과 훌 같은 자가 필요하다

### 3) ________ 하는 심령이 필요하다

세리는 멀리 서서 감히 눈을 들어 하늘을 쳐다보지도 못하고 다만 가슴을 치며 이르되 하나님이여 불쌍히 여기소서 나는 죄인이로소이다 하였느니라_눅 18:13

4) 감사의 찬양과 고백이 필요하다

5) 기도 제목을 기도의 동역자들과 나누고, 지속적으로 서로 중보한다

## 11. 기도를 더욱 잘하기 위해 더 노력해야 할 부분을 적고, 나누라!

• 하나님의 말씀을 언제 어디서 더 읽고, 기도를 드릴 것인가?

• 함께 기도 제목을 나누고 기도할 동역자는 누구인가?

• 정기적으로 기도하기 위해 어떤 기도회 모임 혹 예배를 더 참석하면 좋은가?

## 12. 좀 더 올바른 기도를 하기 위해 나를 잡아줄 수 있는 사람은 누구인가 혹은 좀 더 하나님 앞에 바로 서도록 기도해 주고, 신경써 주어야 하는 사람은 누구인가

# Upright prayer

chapter 4

## 첫번째 바른 기도

## 1. 바른 기도는 어떤 기도인가

1) ______ 가 아니라 ______ 적으로 하는 기도

2) 인격적으로 교제하는 기도

3) 즐거워하고, 기뻐하는 기도

4) ______ 하지 않고 지속적으로 하는 기도

5) 믿음 있는 척이 아니라 믿음 없음을 시인하며 하는 진솔한 기도

곧 그 아이의 아버지가 소리를 질러 이르되 내가 믿나이다 나의 믿음 없는 것을 도와주소서 하더라_**막 9:24**

6) 하나님이 ______ 하심을 알고 하는 기도

내가 천국 열쇠를 네게 주리니 네가 땅에서 무엇이든지 매면 하늘에서도 매일

것이요 네가 땅에서 무엇이든지 풀면 하늘에서도 풀리리라 하시고_**마 16:19**

그러므로 내가 너희에게 말하노니 무엇이든지 기도하고 구하는 것은 받은 줄로 믿으라 그리하면 너희에게 그대로 되리라_**막 11:24**

내 이름으로 무엇이든지 내게 구하면 내가 행하리라_**요 14:14**

어떤 사람이 다윗에게 알리되 압살롬과 함께 모반한 자들 가운데 아히도벨이 있나이다 하니 다윗이 이르되 여호와여 원하옵건대 아히도벨의 모략을 어리석게 하옵소서 하니라_**삼하 15:31**

압살롬과 온 이스라엘 사람들이 이르되 아렉 사람 후새의 계략은 아히도벨의 계략보다 낫다 하니 이는 여호와께서 압살롬에게 화를 내리려 하사 아히도벨의 좋은 계략을 물리치라고 명령하셨음이더라_**삼하 17:14**

이에 예수께서 그들의 눈을 만지시며 이르시되 너희 믿음대로 되라 하시니_**마 9:29**

### 7) 아버지의 ______ 을 찾으며 하는 기도

그를 향하여 우리가 가진 바 담대함이 이것이니 그의 뜻대로 무엇을 구하면 들으심이라_**요일 5:14**

이르시되 아버지여 만일 아버지의 뜻이거든 이 잔을 내게서 옮기시옵소서 그러나 내 원대로 마시옵고 아버지의 원대로 되기를 원하나이다 하시니_**눅 22:42**

### 8) 힘쓰고, 애쓰고, 간절히 하는 기도

예수께서 힘쓰고 애써 더욱 간절히 기도하시니 땀이 땅에 떨어지는 핏방울 같이 되더라_**눅 22:44**

### 9) ______ 을 넓혀 주시고, 축복해 주심을 기대하며 하는 기도

야베스가 이스라엘 하나님께 아뢰어 이르되 주께서 내게 복을 주시려거든 나의 지역을 넓히시고 주의 손으로 나를 도우사 나로 환난을 벗어나 내게 근심이 없게 하옵소서 하였더니 하나님이 그가 구하는 것을 허락하셨더라_**대상 4:10**

---

---

### 10) ______ 하는 기도

E. M. 바운즈는 이렇게 글을 썼다.

> 끈질기게 기도하라! 지옥이 엄청난 타격을 받기까지 기도하며, 두꺼운 철물이 열리기까지 기도하며, 산 같은 방해물이 사라지기까지 기도하며, 안개가 사라지고 구름이 걷히며 햇살이 비칠

때까지 진정으로 기도하기는 참으로 어렵다. 아무 음성도 들리지 않는데 끈질기게 기도하며 기다리기란 쉽지 않다. 그러나 하나님이 응답하실 때까지 기다려야 한다. 기도 응답의 기쁨은 산통을 견딘 어머니의 기쁨이며, 사슬을 벗고 새로운 삶과 자유를 얻은 노예의 기쁨이다.

### 11) 무너진 데를 막아 서서하는 기도

이 땅을 위하여 성을 쌓으며 성 무너진 데를 막아 서서 나로 하여금 멸하지 못하게 할 사람을 내가 그 가운데에서 찾다가 찾지 못하였으므로_**겔 22:30**

### 12) ________ 의 순간에 하는 기도

그 후에 다윗이 여호와께 여쭈어 아뢰되 내가 유다 한 성읍으로 올라가리이까 여호와께서 이르시되 올라가라 다윗이 아뢰되 어디로 가리이까 이르시되 헤브론으로 갈지니라_**삼하 2:1**

---

---

---

---

---

### 13) 용서하는 기도

욥이 그의 친구들을 위하여 기도할 때 여호와께서 욥의 곤경을 돌이키시고 여호와께서 욥에게 이전 모든 소유보다 갑절이나 주신지라_**욥 42:10**

14) ______ 하는 기도

여호와께 감사하라 그는 선하시며 그의 인자하심이 영원함이로다_대상 16:34

15) 주의 말씀이 삶에 ______ 이고, 길에 ______ 임을 고백하는 기도

주의 말씀은 내 발에 등이요 내 길에 빛이니이다_시 119:105

Q 나 자신은 어떤 기도를 잘 드리지 못하고 있는 것 같은가?

## 2. 바르게 기도하는 마음의 자세는 무엇인가

1) 자신이 더욱 하나님 앞에서 기도하려는 ______

2) 그분은 나의 아버지시며, 나의 모든 ______ 도 다 알고 계시다는 의식

3) 기도를 통해서 ______ 하나님을 만나려는 마음

우리 하나님 여호와께서 우리가 그에게 기도할 때마다 우리에게 가까이하심과 같이 그 신이 가까이함을 얻은 큰 나라가 어디 있느냐_**신 4:7**

## 3. 나를 향한 하나님의 뜻을 알기 위한 바른 자세는 무엇인가

## 4. 늘 깨어서 하는 바른 기도는 무엇을 의미하는가

기도를 계속하고 기도에 감사함으로 깨어 있으라_**골 4:2**

## 5. 바른 기도를 위해 어떤 요소가 동반되어야 하는가

### 1) ________ 하는 마음

여호와의 손에서 그의 분노의 잔을 마신 예루살렘이여 깰지어다 깰지어다 일어설지어다 네가 이미 비틀걸음 치게 하는 큰 잔을 마셔 다 비웠도다_사 51:17

여호와는 마음이 상한 자를 가까이하시고 충심으로 통회하는 자를 구원하시는도다_시 34:18

### 2) 두려움이 아니라 신뢰와 믿음

예수께서 그 하는 말을 곁에서 들으시고 회당장에게 이르시되 두려워하지 말고 믿기만 하라 하시고_막 5:36

### 3) ________ 하실 주님을 기대

5 이에 베드로는 옥에 갇혔고 교회는 그를 위하여 간절히 하나님께 기도하더라
6 헤롯이 잡아 내려고 하는 그 전날 밤에 베드로가 두 군인 틈에서 두 쇠사슬에
매여 누워 자는데 파수꾼들이 문 밖에서 옥을 지키더니 7 홀연히 주의 사자가
나타나매 옥중에 광채가 빛나며 또 베드로의 옆구리를 쳐 깨워 이르되 급히 일
어나라 하니 쇠사슬이 그 손에서 벗어지더라 8 천사가 이르되 띠를 띠고 신을
신으라 하거늘 베드로가 그대로 하니 천사가 또 이르되 겉옷을 입고 따라오라
한대 9 베드로가 나와서 따라갈새 천사가 하는 것이 생시인 줄 알지 못하고 환

상을 보는가 하니라_**행 12:5-9**

이에 베드로가 정신이 들어 이르되 내가 이제야 참으로 주께서 그의 천사를 보내어 나를 헤롯의 손과 유대 백성의 모든 기대에서 벗어나게 하신 줄 알겠노라 하여_**행 12:11**

### 4) 하나님이 무엇을 원하시는지 아는 지혜

**16** 항상 기뻐하라 **17** 쉬지 말고 기도하라 **18** 범사에 감사하라 이것이 그리스도
예수 안에서 너희를 향하신 하나님의 뜻이니라_**살전 5:16-18**

### 5) 생명도 연장해 주시는 주님의 ________ 과 ________ 을 아는 것

**1** 그때에 히스기야가 병들어 죽게 되매 아모스의 아들 선지자 이사야가 그에게
나아와서 그에게 이르되 여호와의 말씀이 너는 집을 정리하라 네가 죽고 살지
못하리라 하셨나이다 **2** 히스기야가 낯을 벽으로 향하고 여호와께 기도하여 이
르되 **3** 여호와여 구하오니 내가 진실과 전심으로 주 앞에 행하며 주께서 보시
기에 선하게 행한 것을 기억하옵소서 하고 히스기야가 심히 통곡하더라 **4** 이사
야가 성읍 가운데까지도 이르기 전에 여호와의 말씀이 그에게 임하여 이르시
되 **5** 너는 돌아가서 내 백성의 주권자 히스기야에게 이르기를 왕의 조상 다윗
의 하나님 여호와의 말씀이 내가 네 기도를 들었고 네 눈물을 보았노라 내가 너

를 낫게 하리니 네가 삼 일 만에 여호와의 성전에 올라가겠고 6 내가 네 날에 십
오 년을 더할 것이며 내가 너와 이 성을 앗수르 왕의 손에서 구원하고 내가 나
를 위하고 또 내 종 다윗을 위하므로 이 성을 보호하리라 하셨다 하라 하셨더
라_**왕하 20:1-6**

______________________________

______________________________

______________________________

### 6) 기도하는 자녀에게 좋은 것을 주시는 마음

너희가 악한 자라도 좋은 것으로 자식에게 줄 줄 알거든 하물며 하늘에 계신 너희 아버지께서 구하는 자에게 좋은 것으로 주시지 않겠느냐_**마 7:11**

______________________________

______________________________

### 7) 기도할 때 ______ 보고 이해하기

밤에 환상이 바울에게 보이니 마게도냐 사람 하나가 서서 그에게 청하여 이르되 마게도냐로 건너와서 우리를 도우라 하거늘_**행 16:9**

### 8) 하나님의 음성 듣기

4 여호와께서 사무엘을 부르시는지라 그가 대답하되 내가 여기 있나이다 하고
5 엘리에게로 달려가서 이르되 당신이 나를 부르셨기로 내가 여기 있나이다 하
니 그가 이르되 나는 부르지 아니하였으니 다시 누우라 하는지라 그가 가서 누
웠더니 6 여호와께서 다시 사무엘을 부르시는지라 사무엘이 일어나 엘리에게
로 가서 이르되 당신이 나를 부르셨기로 내가 여기 있나이다 하니 그가 대답
하되 내 아들아 내가 부르지 아니하였으니 다시 누우라 하니라 7 사무엘이 아

직 여호와를 알지 못하고 여호와의 말씀도 아직 그에게 나타나지 아니한 때라
8 여호와께서 세 번째 사무엘을 부르시는지라 그가 일어나 엘리에게로 가서 이
르되 당신이 나를 부르셨기로 내가 여기 있나이다 하니 엘리가 여호와께서 이
아이를 부르신 줄을 깨닫고 9 엘리가 사무엘에게 이르되 가서 누웠다가 그가
너를 부르시거든 네가 말하기를 여호와여 말씀하옵소서 주의 종이 듣겠나이다
하라 하니 이에 사무엘이 가서 자기 처소에 누우니라 10 여호와께서 임하여 계
시사 전과 같이 사무엘아 사무엘아 부르시는지라 사무엘이 이르되 말씀하옵소서
주의 종이 듣겠나이다 하니 11 여호와께서 사무엘에게 이르시되 보라 내가 이
스라엘 중에 한 일을 행하리니 그것을 듣는 자마다 두 귀가 울리리라_**삼상 3:4-11**

## 9) 하나님의 ______ 알기

밤에 환상이 바울에게 보이니 마게도냐 사람 하나가 서서 그에게 청하여 이르되 마게도냐로 건너와서 우리를 도우라 하거늘_**행 16:9**

## 10) 겸손

그러나 더욱 큰 은혜를 주시나니 그러므로 일렀으되 하나님이 교만한 자를 물리치시고 겸손한 자에게 은혜를 주신다 하였느니라_**약 4:6**

## 6. 기도하는 바른 절차는 무엇인가

1) 찬양과 경배로 시작한다

a. 하나님이 어떤 분인지 그 ______ 를 찬양한다

b. 하나님이 행하신 일을 찬양한다

2) 하나님의 ______ 과 ______ 에 합당하게 역사하실 주님을 찬양한다

3) 우리의 죄를 ______ 해 주시기를 구한다

죄의 용서에는 네 가지 단계가 있다.

a. 성령님께 모든 죄를 보여 주시기를 간구해야 한다

하나님이여 나를 살피사 내 마음을 아시며 나를 시험하사 내 뜻을 아옵소서_**시 139:23**

### b. 구체적으로 모든 죄를 ______ 해야 한다

자기의 죄를 숨기는 자는 형통하지 못하나 죄를 자복하고 버리는 자는 불쌍히 여김을 받으리라_**잠 28:13**

### c. 필요하다면 몸으로도 반응해야 한다

**23** 그러므로 예물을 제단에 드리려다가 거기서 네 형제에게 원망들을 만한 일이 있는 것이 생각나거든 **24** 예물을 제단 앞에 두고 먼저 가서 형제와 화목하고 그 후에 와서 예물을 드리라_**마 5:23-24**

### d. 하나님의 ______ 을 믿음으로 받아들여야 한다

만일 우리가 우리 죄를 자백하면 그는 미쁘시고 의로우사 우리 죄를 사하시며 우리를 모든 불의에서 깨끗하게 하실 것이요_**요일 1:9**

**4) 　　　　　 나 원한을 깨끗이 제거해야 한다**

우리 마음이 우리를 책망할 것이 없으면 하나님 앞에서 담대함을 얻고 무엇이 든지 구하는 바를 그에게서 받나니_**요일 3:21-22**
내가 나의 마음에 죄악을 품었더라면 주께서 듣지 아니하시리라_**시 66:18**

**5) 하나님께서 보호하시고 역사해 주시기를 구해야 한다**

사람이 감당할 시험 밖에는 너희가 당한 것이 없나니 오직 하나님은 미쁘사 너희가 감당하지 못할 시험 당함을 허락하지 아니하시고 시험 당할 즈음에 또한 피할 길을 내사 너희로 능히 감당하게 하시느니라_**고전 10:13**

**6) 하나님께 자신을 위해 예비하신 것이 무엇인지를 묻고, 　　　　 하는 기도를 드린다**

아무것도 염려하지 말고 다만 모든 일에 기도와 간구로, 너희 구할 것을 감사함으로 하나님께 아뢰라_빌 4:6

## 7. 기도 수칙은 무엇인가

- 기도 제목만 놓고 기도하지 마라
- 일단 기도한 것은 으로 기다리라
- 하나님의 뜻대로 기도하는지 점검하라
- 기도해 주는 사람과 연락해 보라
- 중언부언하지 말고, 집중하기 위해 때로 기도하라
- 정한 기도 시간의 을 채우라
- 사람들과 거리를 두고, 조용한 곳에서 기도하라

## 8. 바른 기도의 수칙

"오직 으로 구하고 조금도 하지 말라. 의심하는 자는 마치 바람에 밀려 요동하는 바다 물결 같으니 이런 사람은 무엇이든지 주께 를 생각하지 말라."

6 오직 믿음으로 구하고 조금도 의심하지 말라 의심하는 자는 마치 바람에 밀
려 요동하는 바다 물결 같으니 7 이런 사람은 무엇이든지 주께 얻기를 생각하
지 말라_약 1:6-7

Q 믿음으로 간구하고, 조금도 의심하지 않고,
받은 기도 응답은 무엇인가?

## 9. 기도할 때 일어나는 일은 무엇인가

1 오순절 날이 이미 이르매 그들이 다 같이 한 곳에 모였더니 2 홀연히 하늘로부
터 급하고 강한 바람 같은 소리가 있어 그들이 앉은 온 집에 가득하며 3 마치 불
의 혀처럼 갈라지는 것들이 그들에게 보여 각 사람 위에 하나씩 임하여 있더니
4 그들이 다 성령의 충만함을 받고 성령이 말하게 하심을 따라 다른 언어들로
말하기를 시작하니라_**행 2:1-4**

시험에 들지 않게 깨어 기도하라 마음에는 원이로되 육신이 약하도다 하시고_**마 26:41**

34 너희는 스스로 조심하라 그렇지 않으면 방탕함과 술 취함과 생활의 염려로
마음이 둔하여지고 뜻밖에 그날이 덫과 같이 너희에게 임하리라 35 이날은 온
지구상에 거하는 모든 사람에게 임하리라 36 이러므로 너희는 장차 올 이 모든
일을 능히 피하고 인자 앞에 서도록 항상 기도하며 깨어 있으라 하시니라_**눅 21:34-36**

## 10. 바른 기도의 모범은 무엇인가

제주도 이기풍 목사의 아내 '윤함애 사모'의 기도문

(1879년 12월 8일 황해도 안악에서 출생, 이기풍 목사의 아내, 47세에 막내딸 이사례 출산)

세상과 짝하지 마라
5분 이상 예수님을 잊지 마라
열심히 교회봉사를 하라
주의 종은 하나님 다음가는 분이시다
주의 종의 가슴을 아프게 하지 마라
목사님의 가슴을 아프게 하면 미리암과 같이 벌을 받게 될 것이다
상대방이 네 인격을 어떠한 방법으로 무자비하게 짓밟고 천대와 멸시를 하더라도 십자가에 매달리신 예수님만 바라보며 끝까지 참아라
네가 세상을 떠난 후에 심판대에서 예수님께서 판가름을 해 주실 것이다.
그러므로 날마다 참으며 네가 네 자신을 죽여라
네가 죽어지지 않을 때 남을 미워하게 될 것이다
남을 용서하지 못할 때 예수님도 너를 용서하지 않으실 것이다
나를 제일 미워하는 사람을 용서할 수 있는 사람이 참 그리스도인이다

신자의 무기는 감사와 인내와 사랑과 겸손이다
감사는 축복을 열고 닫는 자물쇠이기 때문이다
성령 충만하지 못하면 겸손할 수가 없다
겸손하지 못할 때 성령님은 너를 외면하실 것이다
제일 무서운 것은 신앙의 교만이다

**11. 앞으로 기도를 잘하기 위해 기도를 어떻게 할지 고민해야 한다. 더 바른 기도자가 되기 위해 기도의 십계명은 어떠해야 하는가 각자 기도 십계명을 작성해 보라!**

1)

2)

3)

4)

5)

6)

7)

8)

9)

10)

## 기도 십계명

1) 나와 하나님과의 인격적 교제가 이루어지게 하라!

2) 성령님의 도우심과 교통함으로 기도하라!

3) 기도로 하나님께 협박하고, 실득시키려 하지 마라!
기도는 하나님의 뜻에 의해서 나 자신이 변화되는 것이다.

4) 기도 가운데 올려 드릴 것은 올려 드리라!
기도는 받고 누리려고만 하는 것이 아니라, 마음을 담는 그릇인 시간과 물질, 헌신, 몸을 드리기를 간구하는 것이다. 이미 가장 귀중한 것을 받았으니 드리라. 하나님께 쓰임 받다가 가자. 하나님은 우리를 쓰려고 부르셨다. 쓰임 받기 위해서 드리라. 드리고 또 드려야 한다.

5) 기도 가운데 하나님으로부터 심령의 상처와 질병을 치유 받으라!

6) 기도 응답보다 하나님께 더 집중하라!

7) 진실한 마음으로 기도하라!

8) 단순한 기도를 드리라!

9) 기도할 때 말을 하기만 하지 말고, 듣는 시간을 가지라!
말하고 듣고, 묻고 듣는 것이다. 내 안에서 음성이 들리게 될 때까지 귀를 기울이는 것이다. 마음에서 들리는 소리를 들어야 한다.

10) 주님과 교제하며 깊은 사랑을 나누도록 하라!
인격이신 주님과 사랑을 나누는 것이다. 사랑을 주는 사람이 사랑을 받게 된다. 사랑의 말을 고백하라. 인격적으로 사랑의 말을 나누라.

**Q** 기도 십계명 중에서 나 자신이 가장 잘 지키지 못하는 계명은 무엇인 것 같은가?

**Q** 기도 십계명을 프린트해서 어디에 두고 싶은가?

# 과제

☑ **말씀암송**

마태복음 7:11

너희가 악한 자라도 좋은 것으로 자식에게 줄 줄 알거든

하물며 하늘에 계신 너희 아버지께서 구하는 자에게

좋은 것으로 주시지 않겠느냐

☑ **하루 30분씩 매일 기도해 주세요.**

☑ **3명 이상에게 중보기도 제목을 받고, 기도해 주세요.**

☑ **기도문을 적어 제출해 주세요.**

[개인, 가정, 교회, 나라를 위한 기도]

☑ **메모**

chapter 5

# Upright prayer

## 두번째 바른 기도

## 1. 구약성경에 나오는 기도자의 모범과 각 특징은 무엇인가

### 1) ______ 의 기도

22 그 사람들이 거기서 떠나 소돔으로 향하여 가고 아브라함은 여호와 앞에 그
대로 섰더니 23 아브라함이 가까이 나아가 이르되 주께서 의인을 악인과 함께
멸하려 하시나이까 24 그 성 중에 의인 오십 명이 있을지라도 주께서 그곳을 멸
하시고 그 오십 의인을 위하여 용서하지 아니하시리이까 25 주께서 이같이 하
사 의인을 악인과 함께 죽이심은 부당하오며 의인과 악인을 같이 하심도 부당
하니이다 세상을 심판하시는 이가 정의를 행하실 것이 아니니이까 26 여호와께
서 이르시되 내가 만일 소돔 성읍 가운데에서 의인 오십 명을 찾으면 그들을 위
하여 온 지역을 용서하리라 27 아브라함이 대답하여 이르되 나는 티끌이나 재
와 같사오나 감히 주께 아뢰나이다 28 오십 의인 중에 오 명이 부족하다면 그 오
명이 부족함으로 말미암아 온 성읍을 멸하시리이까 이르시되 내가 거기서 사
십오 명을 찾으면 멸하지 아니하리라 29 아브라함이 또 아뢰어 이르되 거기서
사십 명을 찾으시면 어찌 하려 하시나이까 이르시되 사십 명으로 말미암아 멸
하지 아니하리라 30 아브라함이 이르되 내 주여 노하지 마시옵고 말씀하게 하
옵소서 거기서 삼십 명을 찾으시면 어찌 하려 하시나이까 이르시되 내가 거기
서 삼십 명을 찾으면 그리하지 아니하리라 31 아브라함이 또 이르되 내가 감히
내 주께 아뢰나이다 거기서 이십 명을 찾으시면 어찌 하려 하시나이까 이르시
되 내가 이십 명으로 말미암아 그리하지 아니하리라 32 아브라함이 또 이르되
주는 노하지 마옵소서 내가 이번만 더 아뢰리이다 거기서 십 명을 찾으시면 어
찌 하려 하시나이까 이르시되 내가 십 명으로 말미암아 멸하지 아니하리라 33
여호와께서 아브라함과 말씀을 마치시고 가시니 아브라함도 자기 곳으로 돌아
갔더라_**창 18:22-33**

---

### 2) 모세의 기도

13 내가 참으로 주의 목전에 은총을 입었사오면 원하건대 주의 길을 내게 보이
사 내게 주를 알리시고 나로 주의 목전에 은총을 입게 하시며 이 족속을 주의

백성으로 여기소서 14 여호와께서 이르시되 내가 친히 가리라 내가 너를 쉬게
하리라 15 모세가 여호와께 아뢰되 주께서 친히 가지 아니하시려거든 우리를
이곳에서 올려 보내지 마옵소서_출 33:13-15

### 3) ________ 의 기도

12 여호와께서 아모리 사람을 이스라엘 자손에게 넘겨 주시던 날에 여호수아가
여호와께 아뢰어 이스라엘의 목전에서 이르되 태양아 너는 기브온 위에 머무
르라 달아 너도 아얄론 골짜기에서 그리할지어다 하매 13 태양이 머물고 달이
멈추기를 백성이 그 대적에게 원수를 갚기까지 하였느니라 야살의 책에 태양
이 중천에 머물러서 거의 종일토록 속히 내려가지 아니하였다고 기록되지 아
니하였느냐 14 여호와께서 사람의 목소리를 들으신 이같은 날은 전에도 없었고
후에도 없었나니 이는 여호와께서 이스라엘을 위하여 싸우셨음이니라_수 10:12-14

### 4) 한나의 기도

10 한나가 마음이 괴로워서 여호와께 기도하고 통곡하며 11 서원하여 이르되 만
군의 여호와여 만일 주의 여종의 고통을 돌보시고 나를 기억하사 주의 여종을
잊지 아니하시고 주의 여종에게 아들을 주시면 내가 그의 평생에 그를 여호와
께 드리고 삭도를 그의 머리에 대지 아니하겠나이다 12 그가 여호와 앞에 오래
기도하는 동안에 엘리가 그의 입을 주목한즉 13 한나가 속으로 말하매 입술만
움직이고 음성은 들리지 아니하므로 엘리는 그가 취한 줄로 생각한지라 14 엘
리가 그에게 이르되 네가 언제까지 취하여 있겠느냐 포도주를 끊으라 하니 15
한나가 대답하여 이르되 내 주여 그렇지 아니하니이다 나는 마음이 슬픈 여자
라 포도주나 독주를 마신 것이 아니요 여호와 앞에 내 심정을 통한 것뿐이오니
16 당신의 여종을 악한 여자로 여기지 마옵소서 내가 지금까지 말한 것은 나의
원통함과 격분됨이 많기 때문이니이다 하는지라 17 엘리가 대답하여 이르되 평

안히 가라 이스라엘의 하나님이 네가 기도하여 구한 것을 허락하시기를 원하
노라 하니 **18** 이르되 당신의 여종이 당신께 은혜 입기를 원하나이다 하고 가서
먹고 얼굴에 다시는 근심 빛이 없더라 **19** 그들이 아침에 일찍이 일어나 여호와
앞에 경배하고 돌아가 라마의 자기 집에 이르니라 엘가나가 그의 아내 한나와
동침하매 여호와께서 그를 생각하신지라 **20** 한나가 임신하고 때가 이르매 아들
을 낳아 사무엘이라 이름하였으니 이는 내가 여호와께 그를 구하였다 함이더
라_**삼상 1:10-20**

---

### 5) ______ 의 기도

**1** 하나님이여 주의 인자를 따라 내게 은혜를 베푸시며 주의 많은 긍휼을 따라
내 죄악을 지워 주소서 **2** 나의 죄악을 말갛게 씻으시며 나의 죄를 깨끗이 제하
소서 **3** 무릇 나는 내 죄과를 아오니 내 죄가 항상 내 앞에 있나이다 **4** 내가 주
께만 범죄하여 주의 목전에 악을 행하였사오니 주께서 말씀하실 때에 의로우
시다 하고 주께서 심판하실 때에 순전하시다 하리이다 **5** 내가 죄악 중에서 출
생하였음이여 어머니가 죄 중에서 나를 잉태하였나이다 **6** 보소서 주께서는 중
심이 진실함을 원하시오니 내게 지혜를 은밀히 가르치시리이다 **7** 우슬초로 나
를 정결하게 하소서 내가 정하리이다 나의 죄를 씻어 주소서 내가 눈보다 희리
이다 **8** 내게 즐겁고 기쁜 소리를 들려 주시사 주께서 꺾으신 뼈들도 즐거워하
게 하소서 **9** 주의 얼굴을 내 죄에서 돌이키시고 내 모든 죄악을 지워 주소서_**시
51:1-9**

---

### 6) 솔로몬의 기도

**4** 이에 왕이 제사하러 기브온으로 가니 거기는 산당이 큼이라 솔로몬이 그 제
단에 일천 번제를 드렸더니 **5** 기브온에서 밤에 여호와께서 솔로몬의 꿈에 나타
나시니라 하나님이 이르시되 내가 네게 무엇을 줄꼬 너는 구하라 **6** 솔로몬이
이르되 주의 종 내 아버지 다윗이 성실과 공의와 정직한 마음으로 주와 함께 주

앞에서 행하므로 주께서 그에게 큰 은혜를 베푸셨고 주께서 또 그를 위하여 이
큰 은혜를 항상 주사 오늘과 같이 그의 자리에 앉을 아들을 그에게 주셨나이다
7 나의 하나님 여호와여 주께서 종으로 종의 아버지 다윗을 대신하여 왕이 되
게 하셨사오나 종은 작은 아이라 출입할 줄을 알지 못하고 8 주께서 택하신 백
성 가운데 있나이다 그들은 큰 백성이라 수효가 많아서 셀 수도 없고 기록할 수
도 없사오니 9 누가 주의 이 많은 백성을 재판할 수 있사오리이까 듣는 마음을
종에게 주사 주의 백성을 재판하여 선악을 분별하게 하옵소서 10 솔로몬이 이
것을 구하매 그 말씀이 주의 마음에 든지라 11 이에 하나님이 그에게 이르시되
네가 이것을 구하도다 자기를 위하여 장수하기를 구하지 아니하며 부도 구하
지 아니하며 자기 원수의 생명을 멸하기도 구하지 아니하고 오직 송사를 듣고
분별하는 지혜를 구하였으니 12 내가 네 말대로 하여 네게 지혜롭고 총명한 마
음을 주노니 네 앞에도 너와 같은 자가 없었거니와 네 뒤에도 너와 같은 자가
일어남이 없으리라 13 내가 또 네가 구하지 아니한 부귀와 영광도 네게 주노니
네 평생에 왕들 중에 너와 같은 자가 없을 것이라 14 네가 만일 네 아버지 다윗
이 행함 같이 내 길로 행하며 내 법도와 명령을 지키면 내가 또 네 날을 길게 하
리라_**왕상 3:4-14**

---

### 7) 　　　　　의 기도

1 그때에 히스기야가 병들어 죽게 되매 아모스의 아들 선지자 이사야가 그에게
나아와서 그에게 이르되 여호와의 말씀이 너는 집을 정리하라 네가 죽고 살지
못하리라 하셨나이다 2 히스기야가 낯을 벽으로 향하고 여호와께 기도하여 이
르되 3 여호와여 구하오니 내가 진실과 전심으로 주 앞에 행하며 주께서 보시
기에 선하게 행한 것을 기억하옵소서 하고 히스기야가 심히 통곡하더라 4 이사
야가 성읍 가운데까지도 이르기 전에 여호와의 말씀이 그에게 임하여 이르시
되 5 너는 돌아가서 내 백성의 주권자 히스기야에게 이르기를 왕의 조상 다윗
의 하나님 여호와의 말씀이 내가 네 기도를 들었고 네 눈물을 보았노라 내가 너
를 낫게 하리니 네가 삼 일 만에 여호와의 성전에 올라가겠고 6 내가 네 날에 십
오 년을 더할 것이며 내가 너와 이 성을 앗수르 왕의 손에서 구원하고 내가 나
를 위하고 또 내 종 다윗을 위하므로 이 성을 보호하리라 하셨다 하라 하셨더라
7 이사야가 이르되 무화과 반죽을 가져오라 하매 무리가 가져다가 그 상처에

놓으니 나으니라 8 히스기야가 이사야에게 이르되 여호와께서 나를 낫게 하시
고 삼 일 만에 여호와의 성전에 올라가게 하실 무슨 징표가 있나이까 하니 9 이
사야가 이르되 여호와께서 하신 말씀을 응하게 하실 일에 대하여 여호와께로
부터 왕에게 한 징표가 임하리이다 해 그림자가 십도를 나아갈 것이니이까 혹
십도를 물러갈 것이니이까 하니 10 히스기야가 대답하되 그림자가 십도를 나아
가기는 쉬우니 그리할 것이 아니라 십도가 뒤로 물러갈 것이니이다 하니라 11
선지자 이사야가 여호와께 간구하매 아하스의 해시계 위에 나아갔던 해 그림
자를 십도 뒤로 물러가게 하셨더라_**왕하 20:1-11**

---

### 8) 에스더의 기도

당신은 가서 수산에 있는 유다인을 다 모으고 나를 위하여 금식하되 밤낮 삼 일을 먹지도 말고 마시지도 마소서 나도 나의 시녀와 더불어 이렇게 금식한 후에 규례를 어기고 왕에게 나아가리니 죽으면 죽으리이다 하니라_**에 4:16**

---

### 9) 의 기도

다니엘이 이 조서에 왕의 도장이 찍힌 것을 알고도 자기 집에 돌아가서는 윗방에 올라가 예루살렘으로 향한 창문을 열고 전에 하던 대로 하루 세 번씩 무릎을 꿇고 기도하며 그의 하나님께 감사하였더라_**단 6:10**

---

### 10) 욥의 기도

1 욥이 여호와께 대답하여 이르되 2 주께서는 못 하실 일이 없사오며 무슨 계획
이든지 못 이루실 것이 없는 줄 아오니 3 무지한 말로 이치를 가리는 자가 누구
니이까 나는 깨닫지도 못한 일을 말하였고 스스로 알 수도 없고 헤아리기도 어

려운 일을 말하였나이다 4 내가 말하겠사오니 주는 들으시고 내가 주께 묻겠사
오니 주여 내게 알게 하옵소서 5 내가 주께 대하여 귀로 듣기만 하였사오나 이
제는 눈으로 주를 뵈옵나이다 6 그러므로 내가 스스로 거두어들이고 티끌과 재
가운데에서 회개하나이다_욥 42:1-6

## 2. 초대 교회 제자들은 어떻게 기도하였는가

12 제자들이 감람원이라 하는 산으로부터 예루살렘에 돌아오니 이 산은 예루
살렘에서 가까워 안식일에 가기 알맞은 길이라 13 들어가 그들이 유하는 다락
방으로 올라가니 베드로, 요한, 야고보, 안드레와 빌립, 도마와 바돌로매, 마태
와 및 알패오의 아들 야고보, 셀롯인 시몬, 야고보의 아들 유다가 다 거기 있어
14 여자들과 예수의 어머니 마리아와 예수의 아우들과 더불어 마음을 같이하여
오로지 기도에 힘쓰더라_행 1:12-14

29 주여 이제도 그들의 위협함을 굽어보시옵고 또 종들로 하여금 담대히 하나
님의 말씀을 전하게 하여 주시오며 30 손을 내밀어 병을 낫게 하시옵고 표적과
기사가 거룩한 종 예수의 이름으로 이루어지게 하옵소서 하더라 31 빌기를 다
하매 모인 곳이 진동하더니 무리가 다 성령이 충만하여 담대히 하나님의 말씀
을 전하니라_행 4:29-31

Q 깊이 기도하면서 성령 충만을 경험한 적이 있는가?

4 우리는 오로지 기도하는 일과 말씀 사역에 힘쓰리라 하니 5 온 무리가 이 말을
기뻐하여 믿음과 성령이 충만한 사람 스데반과 또 빌립과 브로고로와 니가노
르와 디몬과 바메나와 유대교에 입교했던 안디옥 사람 니골라를 택하여 6 사도
들 앞에 세우니 사도들이 기도하고 그들에게 안수하니라_**행 6:4-6**

---

5 이에 베드로는 옥에 갇혔고 교회는 그를 위하여 간절히 하나님께 기도하더라
6 헤롯이 잡아 내려고 하는 그 전날 밤에 베드로가 두 군인 틈에서 두 쇠사슬에
매여 누워 자는데 파수꾼들이 문 밖에서 옥을 지키더니 7 홀연히 주의 사자가
나타나매 옥중에 광채가 빛나며 또 베드로의 옆구리를 쳐 깨워 이르되 급히 일
어나라 하니 쇠사슬이 그 손에서 벗어지더라 8 천사가 이르되 띠를 띠고 신을
신으라 하거늘 베드로가 그대로 하니 천사가 또 이르되 겉옷을 입고 따라오라
한대 9 베드로가 나와서 따라갈새 천사가 하는 것이 생시인 줄 알지 못하고 환
상을 보는가 하니라 10 이에 첫째와 둘째 파수를 지나 시내로 통한 쇠문에 이르
니 문이 저절로 열리는지라 나와서 한 거리를 지나매 천사가 곧 떠나더라 11 이
에 베드로가 정신이 들어 이르되 내가 이제야 참으로 주께서 그의 천사를 보내
어 나를 헤롯의 손과 유대 백성의 모든 기대에서 벗어나게 하신 줄 알겠노라 하
여 12 깨닫고 마가라 하는 요한의 어머니 마리아의 집에 가니 여러 사람이 거기
에 모여 기도하고 있더라_**행 12:5-12**

---

1 안디옥 교회에 선지자들과 교사들이 있으니 곧 바나바와 니게르라 하는 시므
온과 구레네 사람 루기오와 분봉 왕 헤롯의 젖동생 마나엔과 및 사울이라 2 주
를 섬겨 금식할 때에 성령이 이르시되 내가 불러 시키는 일을 위하여 바나바와
사울을 따로 세우라 하시니 3 이에 금식하며 기도하고 두 사람에게 안수하여
보내니라_**행 13:1-3**

---

22 제자들의 마음을 굳게 하여 이 믿음에 머물러 있으라 권하고 또 우리가 하나
님의 나라에 들어가려면 많은 환난을 겪어야 할 것이라 하고 23 각 교회에서 장
로들을 택하여 금식 기도 하며 그들이 믿는 주께 그들을 위탁하고_**행 14:22-23**

31 그러므로 여러분이 일깨어 내가 삼 년이나 밤낮 쉬지 않고 눈물로 각 사람을
훈계하던 것을 기억하라 32 지금 내가 여러분을 주와 및 그 은혜의 말씀에 부탁
하노니 그 말씀이 여러분을 능히 든든히 세우사 거룩하게 하심을 입은 모든 자
가운데 기업이 있게 하시리라 33 내가 아무의 은이나 금이나 의복을 탐하지 아
니하였고 34 여러분이 아는 바와 같이 이 손으로 나와 내 동행들이 쓰는 것을 충
당하여 35 범사에 여러분에게 모본을 보여준 바와 같이 수고하여 약한 사람들
을 돕고 또 주 예수께서 친히 말씀하신 바 주는 것이 받는 것보다 복이 있다 하
심을 기억하여야 할지니라 36 이 말을 한 후 무릎을 꿇고 그 모든 사람들과 함
께 기도하니 37 다 크게 울며 바울의 목을 안고 입을 맞추고 38 다시 그 얼굴을
보지 못하리라 한 말로 말미암아 더욱 근심하고 배에까지 그를 전송하니라_**행
20:31-38**

4 제자들을 찾아 거기서 이레를 머물더니 그 제자들이 성령의 감동으로 바울더
러 예루살렘에 들어가지 말라 하더라 5 이 여러 날을 지낸 후 우리가 떠나갈새
그들이 다 그 처자와 함께 성문 밖까지 전송하거늘 우리가 바닷가에서 무릎을
꿇어 기도하고 6 서로 작별한 후 우리는 배에 오르고 그들은 집으로 돌아가니
라_**행 21:4-6**

**Q** 기도한 뒤 하나님이 주신 감동과 부르심으로 어떤 결정을 하고,
힘겹지만 주님의 뜻대로 나아갔던 경험이 있는가?

## 3. 초대 교회 제자들의 바른 기도의 특징은 무엇이었는가

### 1) ______ 적인 기도

제 구 시 기도 시간에 베드로와 요한이 성전에 올라갈새_**행 3:1**

---

이튿날 그들이 길을 가다가 그 성에 가까이 갔을 그때에 베드로가 기도하려고
지붕에 올라가니 그 시각은 제 육 시더라_**행 10:9**

---

**2** 그가 경건하여 온 집안과 더불어 하나님을 경외하며 백성을 많이 구제하고
하나님께 항상 기도하더니 **3** 하루는 제 구 시쯤 되어 환상 중에 밝히 보매 하나
님의 사자가 들어와 이르되 고넬료야 하니 **4** 고넬료가 주목하여 보고 두려워
이르되 주여 무슨 일이니이까 천사가 이르되 네 기도와 구제가 하나님 앞에 상
달되어 기억하신 바가 되었으니 **5** 네가 지금 사람들을 욥바에 보내어 베드로라
하는 시몬을 청하라_**행 10:2-5**

---

### 2) 간절히 ______ 꿇는 기도

**59** 그들이 돌로 스데반을 치니 스데반이 부르짖어 이르되 주 예수여 내 영혼을
받으시옵소서 하고 **60** 무릎을 꿇고 크게 불러 이르되 주여 이 죄를 그들에게 돌
리지 마옵소서 이 말을 하고 자니라_**행 7:59-60**

---

베드로가 사람을 다 내보내고 무릎을 꿇고 기도하고 돌이켜 시체를 향하여 이르되 다비다야 일어나라 하니 그가 눈을 떠 베드로를 보고 일어나 앉는지라_**행 9:40**

### 3) 를 찾아 간구하는 기도

13 안식일에 우리가 기도할 곳이 있을까 하여 문 밖 강가에 나가 거기 앉아서 모
인 여자들에게 말하는데 14 두아디라 시에 있는 자색 옷감 장사로서 하나님을
섬기는 루디아라 하는 한 여자가 말을 듣고 있을 때 주께서 그 마음을 열어 바
울의 말을 따르게 하신지라_**행 16:13-14**

후에 내가 예루살렘으로 돌아와서 성전에서 기도할 때에 황홀한 중에_**행 22:17**

## 4. 바울 서신에 나타난 기도의 내용은 무엇인가

### 1) 을 위한 기도와 찬양

8 먼저 내가 예수 그리스도로 말미암아 너희 모든 사람에 관하여 내 하나님께
감사함은 너희 믿음이 온 세상에 전파됨이로다 9 내가 그의 아들의 복음 안에
서 내 심령으로 섬기는 하나님이 나의 증인이 되시거니와 항상 내 기도에 쉬지
않고 너희를 말하며 10 어떻게 하든지 이제 하나님의 뜻 안에서 너희에게로 나
아갈 좋은 길 얻기를 구하노라 11 내가 너희 보기를 간절히 원하는 것은 어떤 신
령한 은사를 너희에게 나누어 주어 너희를 견고하게 하려 함이니 12 이는 곧 내
가 너희 가운데서 너희와 나의 믿음으로 말미암아 피차 안위함을 얻으려 함이
라_**롬 1:8-12**

### 2) 동족의 구원을 위한 기도

나의 형제 곧 골육의 친척을 위하여 내 자신이 저주를 받아 그리스도에게서 끊어질지라도 원하는 바로라_**롬 9:3**

---

형제들아 내 마음에 원하는 바와 하나님께 구하는 바는 이스라엘을 위함이니 곧 그들로 구원을 받게 함이라_**롬 10:1**

### 3) 하나님의 이 무엇인지 분별하고, 거룩하게 서도록 하는 기도

**1** 그러므로 형제들아 내가 하나님의 모든 자비하심으로 너희를 권하노니 너희
몸을 하나님이 기뻐하시는 거룩한 산 제물로 드리라 이는 너희가 드릴 영적 예
배니라 **2** 너희는 이 세대를 본받지 말고 오직 마음을 새롭게 함으로 변화를 받
아 하나님의 선하시고 기뻐하시고 온전하신 뜻이 무엇인지 분별하도록 하라_
**롬 12:1-2**

---

---

---

### 4) 하나님께 영광을 돌리는 기도

**5** 이제 인내와 위로의 하나님이 너희로 그리스도 예수를 본받아 서로 뜻이 같
게 하여 주사 **6** 한마음과 한 입으로 하나님 곧 우리 주 예수 그리스도의 아버지
께 영광을 돌리게 하려 하노라_**롬 15:5-6**

---

---

---

### 5) ______ 을 이기게 하는 기도

평강의 하나님께서 속히 사탄을 너희 발 아래에서 상하게 하시리라 우리 주 예수의 은혜가 너희에게 있을지어다_**롬 16:20**

## 5. 성경에 나타나는 바른 기도의 종류는 어떤 것들이 있는가

### 1) ______ 기도

새벽 아직도 밝기 전에 예수께서 일어나 나가 한적한 곳으로 가사 거기서 기도하시더니_**막 1:35**

### 2) ______ 기도

12 여호와의 말씀에 너희는 이제라도 금식하고 울며 애통하고 마음을 다하여
내게로 돌아오라 하셨나니 13 너희는 옷을 찢지 말고 마음을 찢고 너희 하나님
여호와께로 돌아올지어다 그는 은혜로우시며 자비로우시며 노하기를 더디하
시며 인애가 크시사 뜻을 돌이켜 재앙을 내리지 아니하시나니 14 주께서 혹시
마음과 뜻을 돌이키시고 그 뒤에 복을 내리사 너희 하나님 여호와께 소제와 전
제를 드리게 하지 아니하실는지 누가 알겠느냐_**욜 2:12-14**

## 3) 기도

### 야곱

24 야곱은 홀로 남았더니 어떤 사람이 날이 새도록 야곱과 씨름하다가 25 자기
가 야곱을 이기지 못함을 보고 그가 야곱의 허벅지 관절을 치매 야곱의 허벅지
관절이 그 사람과 씨름할 때에 어긋났더라 26 그가 이르되 날이 새려 하니 나로
가게 하라 야곱이 이르되 당신이 내게 축복하지 아니하면 가게 하지 아니하겠
나이다_**창 32:24-26**

### 사무엘

3 하나님의 등불은 아직 꺼지지 아니하였으며 사무엘은 하나님의 궤 있는 여호
와의 전 안에 누웠더니 4 여호와께서 사무엘을 부르시는지라 그가 대답하되 내
가 여기 있나이다 하고 5 엘리에게로 달려가서 이르되 당신이 나를 부르셨기로
내가 여기 있나이다 하니 그가 이르되 나는 부르지 아니하였으니 다시 누우라
하는지라 그가 가서 누웠더니 6 여호와께서 다시 사무엘을 부르시는지라 사무
엘이 일어나 엘리에게로 가서 이르되 당신이 나를 부르셨기로 내가 여기 있나
이다 하니 그가 대답하되 내 아들아 내가 부르지 아니하였으니 다시 누우라 하
니라 7 사무엘이 아직 여호와를 알지 못하고 여호와의 말씀도 아직 그에게 나
타나지 아니한 때라 8 여호와께서 세 번째 사무엘을 부르시는지라 그가 일어
나 엘리에게로 가서 이르되 당신이 나를 부르셨기로 내가 여기 있나이다 하니
엘리가 여호와께서 이 아이를 부르신 줄을 깨닫고 9 엘리가 사무엘에게 이르
되 가서 누웠다가 그가 너를 부르시거든 네가 말하기를 여호와여 말씀하옵소
서 주의 종이 듣겠나이다 하라 하니 이에 사무엘이 가서 자기 처소에 누우니라
10 여호와께서 임하여 서서 전과 같이 사무엘아 사무엘아 부르시는지라 사무엘
이 이르되 말씀하옵소서 주의 종이 듣겠나이다 하니 11 여호와께서 사무엘에게
이르시되 보라 내가 이스라엘 중에 한 일을 행하리니 그것을 듣는 자마다 두 귀
가 울리리라 12 내가 엘리의 집에 대하여 말한 것을 처음부터 끝까지 그날에 그
에게 다 이루리라 13 내가 그의 집을 영원토록 심판하겠다고 그에게 말한 것은
그가 아는 죄악 때문이니 이는 그가 자기의 아들들이 저주를 자청하되 금하지
아니하였음이니라 14 그러므로 내가 엘리의 집에 대하여 맹세하기를 엘리 집의

죄악은 제물로나 예물로나 영원히 속죄함을 받지 못하리라 하였노라 하셨더라_**삼상 3:3-14**

## 나단

그 밤에 여호와의 말씀이 나단에게 임하여 이르시되_**삼하 7:4**

## 다윗

내가 탄식함으로 피곤하여 밤마다 눈물로 내 침상을 띄우며 내 요를 적시나이다_**시 6:6**

## 솔로몬

그날 밤에 하나님이 솔로몬에게 나타나 그에게 이르시되 내가 네게 무엇을 주랴 너는 구하라 하시니_**대하 1:7**

## 바울

**9** 밤에 환상이 바울에게 보이니 마게도냐 사람 하나가 서서 그에게 청하여 이
르되 마게도냐로 건너와서 우리를 도우라 하거늘 **10** 바울이 그 환상을 보았을
때 우리가 곧 마게도냐로 떠나기를 힘쓰니 이는 하나님이 저 사람들에게 복음
을 전하라고 우리를 부르신 줄로 인정함이러라_**행 16:9-10**

## 예수님

이때에 예수께서 기도하시러 산으로 가사 밤이 새도록 하나님께 기도하시고_**눅 6:12**

4) 기도

모세는 구름 속으로 들어가서 산 위에 올랐으며 모세가 사십 일 사십 야를 산에 있으니라_**출 24:18**

5) 기도

진실로 다시 너희에게 이르노니 너희 중의 두 사람이 땅에서 합심하여 무엇이든지 구하면 하늘에 계신 내 아버지께서 그들을 위하여 이루게 하시리라_**마 18:19**

6) 기도

그는 육체에 계실 때에 자기를 죽음에서 능히 구원하실 이에게 심한 통곡과 눈물로 간구와 소원을 올렸고 그의 경건하심으로 말미암아 들으심을 얻었느니라_**히 5:7**

7) 기도

그들이 돌로 스데반을 치니 스데반이 부르짖어 이르되 주 예수여 내 영혼을 받으시옵소서 하고_**행 7:59**

8) 기도

**14** 내가 만일 방언으로 기도하면 나의 영이 기도하거니와 나의 마음은 열매를
맺지 못하리라 **15** 그러면 어떻게 할까 내가 영으로 기도하고 또 마음으로 기도
하며 내가 영으로 찬송하고 또 마음으로 찬송하리라_**고전 14:14-15**

9) 기도

너희는 다 모든 사람으로 배우게 하고 모든 사람으로 권면을 받게 하기 위하여 하나씩 하나씩 예언할 수 있느니라_**고전 14:31**

**10) ______ 를 위한 기도**

나는 너희에게 이르노니 너희 원수를 사랑하며 너희를 박해하는 자를 위하여 기도하라_**마 5:44**

**11) ______ 기도**

이에 금식하며 기도하고 두 사람에게 안수하여 보내니라_**행 13:3**

**12) ______ 기도**

아론이 백성을 향하여 손을 들어 축복함으로 속죄제와 번제와 화목제를 마치고 내려오니라_**레 9:22**

**13) ______ 기도**

1 내가 여호와를 항상 송축함이여 내 입술로 항상 주를 찬양하리이다 2 내 영혼
이 여호와를 자랑하리니 곤고한 자들이 이를 듣고 기뻐하리로다 3 나와 함께
여호와를 광대하시다 하며 함께 그의 이름을 높이세_**시 34:1-3**

______________________________________________

______________________________________________

**14) ______ 기도**

이르시되 기도 외에 다른 것으로는 이런 종류가 나갈 수 없느니라 하시니라_**막 9:29**

## 6. 기도를 최소 몇 번 해야 하는가

또 그들을 두시고 나아가 세 번째 같은 말씀으로 기도하신 후_**마 26:44**

이것이 내게서 떠나가게 하기 위하여 내가 세 번 주께 간구하였더니_**고후 12:8**

## 7. 기도는 하나님과 기도자만 염두에 두면 되는가

1 예수께서 그들에게 항상 기도하고 낙심하지 말아야 할 것을 비유로 말씀하여
2 이르시되 어떤 도시에 하나님을 두려워하지 않고 사람을 무시하는 한 재판장
이 있는데 3 그 도시에 한 과부가 있어 자주 그에게 가서 내 원수에 대한 나의
원한을 풀어 주소서 하되 4 그가 얼마 동안 듣지 아니하다가 후에 속으로 생각
하되 내가 하나님을 두려워하지 않고 사람을 무시하나 5 이 과부가 나를 번거
롭게 하니 내가 그 원한을 풀어 주리라 그렇지 않으면 늘 와서 나를 괴롭게 하
리라 하였느니라 6 주께서 또 이르시되 불의한 재판장이 말한 것을 들으라 7 하
물며 하나님께서 그 밤낮 부르짖는 택하신 자들의 원한을 풀어 주지 아니하시
겠느냐 그들에게 오래 참으시겠느냐 8 내가 너희에게 이르노니 속히 그 원한을
풀어 주시리라 그러나 인자가 올 때에 세상에서 믿음을 보겠느냐 하시니라_**눅 18:1-8**

- 기도를 ______ 자
- 기도를 받으시는 하나님

• 기도자를 하는 자, 원수

Q 우리를 넘어트리려는 가정, 교회, 사회에서 사탄의 전략은 무엇인 것 같은가?

## 8. 바른 기도의 사람이 되면 하나님 앞에 어떤 사람이 될 수 있는가

### 1) 하나님의

그러나 나의 종 너 이스라엘아 내가 택한 야곱아 나의 벗 아브라함의 자손아_ **사 41:8**

### 2) 지면에서 가장 온유한 자

이 사람 모세는 온유함이 지면의 모든 사람보다 더하더라_**민 12:3**

### 3) 하나님의 마음에 ______ 사람

폐하시고 다윗을 왕으로 세우시고 증언하여 이르시되 내가 이새의 아들 다윗을 만나니 내 마음에 맞는 사람이라 내 뜻을 다 이루리라 하시더니_**행 13:22**

## 9. 바른 기도를 하면 어떤 영적인 유익이 있는가

### 1) 영적으로 주님을 깊이 ______ 할 수 있다

1700년대 프랑스에서 신앙 때문에 감옥에 갇힌 잔느 귀용(Jeanne Guyon)은『예수 그리스도를 깊이 체험하기』에서 하나님이 요구하시는 것은 다른 것이 아니라 주님을 깊이 ______ 하는 것이라고 하였다.

### 2) 간결하지만 자신의 ______ 을 넓히고, ______ 에서 벗어나 근심이 없도록 기도를 드릴 수 있다

야베스가 이스라엘 하나님께 아뢰어 이르되 주께서 내게 복을 주시려거든 나의 지역을 넓히시고 주의 손으로 나를 도우사 나로 환난을 벗어나 내게 근심이 없게 하옵소서 하였더니 하나님이 그가 구하는 것을 허락하셨더라_**대상 4:10**

**3) 심지어 사람의 ______ 이 다시 돌아오도록 기도할 수 있다**

그 아이 위에 몸을 세 번 펴서 엎드리고 여호와께 부르짖어 이르되 내 하나님 여호와여 원하건대 이 아이의 혼으로 그의 몸에 돌아오게 하옵소서 하니_**왕상 17:21**

## 10. 바른 기도의 자세는 어떠해야 하는가

특별한 자세가 있지 않다.

- 반드시 ______ 을 감을 필요가 없다
- 반드시 두 손을 모으지 않아도
- 무릎을 꼭 꿇지 않아도 된다
- ______ 소리로만 기도해야 하는 것은 아니다
- 얼굴을 바닥에 대고 기도하지 않아도 된다

그러므로 너희 죄를 서로 고백하며 병이 낫기를 위하여 서로 기도하라 의인의 간구는 역사하는 힘이 큼이니라_**약 5:16**

Q 나 자신은 어떻게 더 성화의 삶을 살도록 노력해야 하는가?

## 11. 기도와 간구를 하는 것은 참으로 좋은 것이다. 그러나 어떻게 기도해야 바른 기도와 간구가 될 것인가

모든 기도와 간구를 하되 항상 성령 안에서 기도하고 이를 위하여 깨어 구하기
를 항상 힘쓰며 여러 성도를 위하여 구하라_**엡 6:18**

## 12. 자녀를 낳고 싶어 하는 목적기도는 바른 기도인가

**10** 한나가 마음이 괴로워서 여호와께 기도하고 통곡하며 **11** 서원하여 이르되 만
군의 여호와여 만일 주의 여종의 고통을 돌보시고 나를 기억하사 주의 여종을
잊지 아니하시고 주의 여종에게 아들을 주시면 내가 그의 평생에 그를 여호와
께 드리고 삭도를 그의 머리에 대지 아니하겠나이다 **12** 그가 여호와 앞에 오래
기도하는 동안에 엘리가 그의 입을 주목한즉 **13** 한나가 속으로 말하매 입술만
움직이고 음성은 들리지 아니하므로 엘리는 그가 취한 줄로 생각한지라 **14** 엘
리가 그에게 이르되 네가 언제까지 취하여 있겠느냐 포도주를 끊으라 하니 **15**
한나가 대답하여 이르되 내 주여 그렇지 아니하니이다 나는 마음이 슬픈 여자
라 포도주나 독주를 마신 것이 아니요 여호와 앞에 내 심정을 통한 것뿐이오니
**16** 당신의 여종을 악한 여자로 여기지 마옵소서 내가 지금까지 말한 것은 나의
원통함과 격분됨이 많기 때문이니이다 하는지라 **17** 엘리가 대답하여 이르되 평
안히 가라 이스라엘의 하나님이 네가 기도하여 구한 것을 허락하시기를 원하
노라 하니 **18** 이르되 당신의 여종이 당신께 은혜 입기를 원하나이다 하고 가서
먹고 얼굴에 다시는 근심 빛이 없더라_**삼상 1:10-18**

천사가 그에게 이르되 사가랴여 무서워하지 말라 너의 간구함이 들린지라 네 아내 엘리사벳이 네게 아들을 낳아 주리니 그 이름을 요한이라 하라_**눅 1:13**

# 과제

☑ **말씀암송**

마태복음 5:44

나는 너희에게 이르노니

너희 원수를 사랑하며

너희를 박해하는 자를 위하여 기도하라

☑ **하루 30분씩 매일 기도해 주세요.**

☑ **3명 이상에게 중보기도 제목을 받고, 기도해 주세요.**

☑ **기도문을 적어 제출해 주세요.**

[개인, 가정, 교회, 나라를 위한 기도]

☑ **메모**

# Upright prayer

chapter 6

## 세번째 바른 기도

## 1. 바른 기도를 통해 얻게 되는 유익은 무엇인가

삭개오가 서서 주께 여짜오되 주여 보시옵소서 내 소유의 절반을 가난한 자들에게 주겠사오며 만일 누구의 것을 속여 빼앗은 일이 있으면 네 갑절이나 갚겠나이다_**눅 19:8**

이로써 그 보배롭고 지극히 큰 약속을 우리에게 주사 이 약속으로 말미암아 너희가 정욕 때문에 세상에서 썩어질 것을 피하여 신성한 성품에 참여하는 자가 되게 하려 하셨느니라_**벧후 1:4**

나의 영혼아 잠잠히 하나님만 바라라 무릇 나의 소망이 그로부터 나오는도다_**시 62:5**

## 2. 낙망하지 않고 기도하면 어떤 역사가 있는가

22 벳새다에 이르매 사람들이 맹인 한 사람을 데리고 예수께 나아와 손 대시기
를 구하거늘 23 예수께서 맹인의 손을 붙잡으시고 마을 밖으로 데리고 나가사
눈에 침을 뱉으시며 그에게 안수하시고 무엇이 보이느냐 물으시니 24 쳐다보며
이르되 사람들이 보이나이다 나무 같은 것들이 걸어 가는 것을 보나이다 하거
늘 25 이에 그 눈에 다시 안수하시매 그가 주목하여 보더니 나아서 모든 것을 밝
히 보는지라 26 예수께서 그 사람을 집으로 보내시며 이르시되 마을에는 들어
가지 말라 하시니라_**막 8:22-26**

이러므로 우리도 항상 너희를 위하여 기도함은 우리 하나님이 너희를 그 부르심에 합당한 자로 여기시고 모든 선을 기뻐함과 믿음의 역사를 능력으로 이루게 하시고_**살후 1:11**

모든 지킬 만한 것 중에 더욱 네 마음을 지키라 생명의 근원이 이에서 남이니라_**잠 4:23**

## 3. 바른 기도를 위해 누구의 도움을 받아야 하는가

이와 같이 성령도 우리의 연약함을 도우시나니 우리는 마땅히 기도할 바를 알지 못하나 오직 성령이 말할 수 없는 탄식으로 우리를 위하여 친히 간구하시느

니라_롬 8:26

## 4. 왜 성령님을 의지하여 기도해야 하는가

내가 아버지께 구하겠으니 그가 또 다른 보혜사를 너희에게 주사 영원토록 너희와 함께 있게 하리니_요 14:16

내가 아버지께로부터 너희에게 보낼 보혜사 곧 아버지께로부터 나오시는 진리의 성령이 오실 때에 그가 나를 증언하실 것이요_**요 15:26**

곧 하나님 아버지의 미리 아심을 따라 성령이 거룩하게 하심으로 순종함과 예수 그리스도의 피 뿌림을 얻기 위하여 택하심을 받은 자들에게 편지하노니 은혜와 평강이 너희에게 더욱 많을지어다_**벧전 1:2**

## 5. 기도하기 전에 해야 할 준비는 무엇인가

### 1) 성령님의 감동, 감화를 받도록 간구하고 ________ 해야 한다

사랑하는 자들아 너희는 너희의 지극히 거룩한 믿음 위에 자신을 세우며 성령으로 기도하며_**유 1:20**

### 2) 성령님의 임재와 교통, 충만이다

Q 어떤 때 우리 영혼이 성령님의 임재를 대부분 느끼지 못하는가?

• ________ 로 인한 성령님과의 거리감 때문이다

• 믿음의 부족 때문이다

• 인식의 부족 때문이다

• 필요성에 대한 무지 때문이다

• 부정적 생각 때문이다

**3) 기도자는 성령님을 의지해 기도하고, 기도 ________ 을 기다릴 준비를 해야 한다**

## 6. 기도 할 때 빠뜨리지 말아야 할 내용은 무엇인가

• 하나님 ________ 이다

• ________ , ________ , 나라이다

• 시험과 유혹에서 벗어나기 위한 ________ 을 위한 기도이다

예수님을 닮아가야 한다.

Q 요즘 하나님 나라, 가정, 교회, 조국 그리고 자신을 위해 어떤 제목으로 기도하고 있는가?

## 7. 바르게 기도하는 마음의 자세는 무엇인가

1) 기도는 ______ 을 비우는 것이다

2) 겸손한 마음 자세이다

3) 기도하는 자의 가장 보편적인 체험은 ______ 이다

4) 기도는 비운 마음을 ______ 의 마음으로 채우는 것이다

너희 안에 이 마음을 품으라 곧 그리스도 예수의 마음이니_**빌 2:5**

5) 마음의 정욕을 내려놓는 것이다

구하여도 받지 못함은 정욕으로 쓰려고 잘못 구하기 때문이라_**약 4:3**

## 8. 어떻게 기도해야 더 효율적인가

1) ______ , 기뻐하시고, 온전하신 뜻을 간구해야 한다

너희는 이 세대를 본받지 말고 오직 마음을 새롭게 함으로 변화를 받아 하나님의 선하시고 기뻐하시고 온전하신 뜻이 무엇인지 분별하도록 하라_**롬 12:2**

**2) 예수님처럼 습관을 따라 기도해야 한다**

예수께서 나가사 습관을 따라 감람 산에 가시매 제자들도 따라갔더니_**눅 22:39**

**3) ______, 찾고, ______ 한다**

내가 또 너희에게 이르노니 구하라 그러면 너희에게 주실 것이요 찾으라 그러면 찾아낼 것이요 문을 두드리라 그러면 너희에게 열릴 것이니_**눅 11:9**

**4) 먼저 하나님의 나라와 그의 의를 구해야 한다**

그런즉 너희는 먼저 그의 나라와 그의 의를 구하라 그리하면 이 모든 것을 너희에게 더하시리라_**마 6:33**

**5) 오직 하나님의 ______ 으로 기도해야 한다**

그가 내게 대답하여 이르되 여호와께서 스룹바벨에게 하신 말씀이 이러하니라 만군의 여호와께서 말씀하시되 이는 힘으로 되지 아니하며 능력으로 되지 아니하고 오직 나의 영으로 되느니라_**슥 4:6**

모든 기도와 간구를 하되 항상 성령 안에서 기도하고 이를 위하여 깨어 구하기를 항상 힘쓰며 여러 성도를 위하여 구하라_**엡 6:18**

### 6) 주님 안에 거하고, 주님의 말씀이 우리 안에 거해야 한다

너희가 내 안에 거하고 내 말이 너희 안에 거하면 무엇이든지 원하는 대로 구하라 그리하면 이루리라_요 15:7

### 7) 아버지의 ______ 대로 되기를 소원해야 한다

이르시되 아버지여 만일 아버지의 뜻이거든 이 잔을 내게서 옮기시옵소서 그러나 내 원대로 마시옵고 아버지의 원대로 되기를 원하나이다 하시니_눅 22:42

## 9. 바른 도고 혹 중보기도란 무엇인가

모든 기도와 간구를 하되 항상 성령 안에서 기도하고 이를 위하여 깨어 구하기를 항상 힘쓰며 여러 성도를 위하여 구하라_엡 6:18

---

**Q** 예루살렘의 파수꾼으로 주야로 기도하면 어떤 역사가 일어나는가?

6 예루살렘이여 내가 너의 성벽 위에 파수꾼을 세우고 그들로 하여금 주야로
계속 잠잠하지 않게 하였느니라 너희 여호와로 기억하시게 하는 자들아 너희
는 쉬지 말며 7 또 여호와께서 예루살렘을 세워 세상에서 찬송을 받게 하시기
까지 그로 쉬지 못하시게 하라_사 62:6-7

---

---

---

**Q** 요즘 기도해 주는 중보기도 대상자는 누구인가?

## 10. 청원기도 시 주의점은 무엇인가

5 또 이르시되 너희 중에 누가 벗이 있는데 밤중에 그에게 가서 말하기를 벗이
여 떡 세 덩이를 내게 꾸어 달라 6 내 벗이 여행 중에 내게 왔으나 내가 먹일 것
이 없노라 하면 7 그가 안에서 대답하여 이르되 나를 괴롭게 하지 말라 문이 이
미 닫혔고 아이들이 나와 함께 침실에 누웠으니 일어나 네게 줄 수가 없노라 하
겠느냐_눅 11:5-7

**1) 정당한 것, 필수적인 것을 간구해야 한다**

**2) 청원하는 대상인 한 영혼에 집중해야 한다**

**3) 항구적으로 간구해야 한다**

Q 요즘 끊임없이 집중해서 기도하고 간구하는 제목은 무엇인가?

## 11. 중보기도는 어떻게 일하고, 하나님의 역사를 이룰 수 있는가

---

---

**Q** 하늘에서는 누가 우리를 위해 끊임없이 중보하고, 간구하시는가?

24 예수는 영원히 계시므로 그 제사장 직분도 갈리지 아니하느니라 25 그러므로 자기를 힘입어 하나님께 나아가는 자들을 온전히 구원하실 수 있으니 이는 그가 항상 살아 계셔서 그들을 위하여 간구하심이라_히 7:24-25

## 12. 요즘 중보하는 사람은 혹 중보해야 할 사람은 누구인가

**1) 가족 혹 친척 중 더 중보해야 할 사람은 누구인가?**

a.

b.

c.

**2) 교회 공동체 중 더 중보해야 할 사람은 누구인가?**

a.

b.

c.

**3) 사회에서 만나는 사람 중 중보해야 할 사람은 누구인가?**

a.

b.

c

# 과제

☑ **말씀암송**

에베소서 6:18

모든 기도와 간구를 하되 항상 성령 안에서 기도하고

이를 위하여 깨어 구하기를 항상 힘쓰며

여러 성도를 위하여 구하라

☑ **하루 30분씩 매일 기도해 주세요.**

☑ **3명 이상에게 중보기도 제목을 받고, 기도해 주세요.**

☑ **기도문을 적어 제출해 주세요.**

[개인, 가정, 교회, 나라를 위한 기도]

☑ **메모**

## 기도 양육 201 과제
## 체크리스트

| | 1주 | 2주 | 3주 | 4주 | 5주 | 6주 |
|---|---|---|---|---|---|---|
| ❶ 출석 체크 | | | | | | |
| ❷ 하루기도 30분 이상 | | | | | | |
| ❸ 암송구절 암기하기 | | | | | | |
| ❹ 3명 이상 중보기도 제목 받기 | | | | | | |
| ❺ 기도문 적어오기 (개인, 가정, 교회, 나라) | | | | | | |

❶ 매주 출석은 ○, 지각은 △, 결석은 × 표시해 주세요.
❷ 하루 30분씩 매일 기도했다면 ○, 어느 정도 했다면 △, 못했다면 × 표시해 주세요.
❸ 암송구절을 암송했다면 ○, 못했다면 × 표시해 주세요.
❹ 3명 이상에게 중보기도 제목을 받고 기도했다면 ○, 못했다면 × 표시해 주세요.
❺ 매주 1번 기도문을 적고 제출했다면 ○, 적지 못해 제출하지 못했다면 × 표시해 주세요.